D0811529

Les Orphelines

****

Rebecca

Virginia C. Andrews™

Les Orphelines

****

Rebecca

ÉDITIONS FRANCE LOISIRS

Titre original : *Raven*,
publié par Pocket Books, a division of Simon & Schuster Inc., New York.

Traduit de l'américain par Florence Mantran.

Une édition du Club France Loisirs, Paris,
réalisée avec l'autorisation des Éditions J'ai lu.

Éditions France Loisirs,
123, boulevard de Grenelle, Paris
www.franceloisirs.com

Prologue

Je n'ai jamais demandé à naître !

Je criai ces mots à ma mère lorsqu'elle se mit à me reprocher tous les ennuis que je lui avais causés depuis le jour de ma naissance.

Le collège venait d'appeler et le conseiller d'éducation avait menacé maman de la traîner devant la justice si je restais un jour de plus à la maison. Je détestais mon école. Ce n'était qu'un repaire de snobinardes bourdonnant autour de leur reine et prêtes à me piquer si j'osais ne serait-ce que prétendre entrer dans leur précieux petit cercle. Les classes étaient si surchargées que les professeurs ignoraient de toute façon jusqu'à mon existence ! Et, si ma fichue carte de pointage ne m'avait pas trahie, personne n'aurait su que je n'étais pas allée en cours.

De son pied nu, maman fit claquer la porte du réfrigérateur et posa avec violence une bouteille de bière sur le comptoir. Elle la décapsula d'un geste rageur puis me regarda, les yeux injectés de sang. L'appel du collège l'avait extirpée d'un sommeil de plomb. Elle porta la bouteille à ses lèvres et aspira la boisson, les muscles de son cou décharné palpitant sous l'effort qu'elle faisait pour en ingurgiter le maximum en une seule gorgée. Puis elle m'examina de nouveau et je constatai qu'elle avait un hématome sur l'avant-bras droit ainsi qu'une éraflure sur le coude.

Nous jouissions alors d'un magnifique été indien. La température avait atteint ce jour-là trente-cinq degrés et nous étions déjà le 21 octobre. Les cheveux de maman, aussi noirs que les miens, lui pendaient lamentablement le long des joues et sa frange était inégale et trop longue. D'une moue peu gracieuse, elle souffla en l'air pour repousser de ses yeux les mèches rebelles.

Autrefois, elle avait été une très belle femme dont le regard était aussi chatoyant que des perles noires. Son teint basané et ses pommettes hautes donnaient du caractère à son visage aux traits parfaits. Certaines femmes devaient se faire injecter de la silicone dans les lèvres pour leur donner l'aspect charnu et voluptueux que la bouche de maman possédait naturellement. À cette époque, j'étais flattée quand on me comparait à elle et je ne rêvais que d'une chose : être aussi jolie que ma mère.

Mais, avec les années, j'avais fini par changer d'avis et allais même jusqu'à refuser d'avouer que j'étais sa fille. Parfois, il m'arrivait aussi de prétendre qu'elle n'existait pas.

– Non seulement je m'éreinte à gagner ma vie mais il faut encore que je surveille une môme de douze ans ! C'est une médaille, qu'on devrait me donner, au lieu de me menacer !

Maman « s'éreintait » effectivement en travaillant comme serveuse au *Charlie Boy*, un bar miteux de Newburgh, dans l'État de New York. Certaines nuits, il lui arrivait de ne pas rentrer avant quatre heures du matin, bien longtemps après la fermeture de l'établissement. Si elle n'était pas ivre, elle avait absorbé un produit qui la mettait dans le même état, et elle entrait, titubante, dans l'unique chambre de notre deux-pièces, sans manquer de se heurter à un meuble ou de faire tomber quelque chose.

Je dormais dans le salon, sur le canapé-lit, et son arrivée me réveillait la plupart du temps, mais je faisais toujours semblant de dormir. Je détestais lui parler lorsqu'elle était dans cet état. Parfois, je pouvais même la sentir avant de l'entendre, comme si elle avait laissé tremper ses vêtements dans un doux mélange de whisky et de bière.

Maman paraissait bien plus âgée que ses trente et un ans. Elle avait d'épais cernes sous les yeux et des rides au coin des paupières qui semblaient avoir été dessinées au crayon à sourcils. Son beau teint mat avait viré au jaune cireux et ses cheveux, autrefois souples et soyeux, n'étaient plus qu'une tignasse terne et hirsute, balayée de mèches prématurément grises.

Ma mère fumait et buvait, et se moquait bien des hommes avec qui elle sortait, du moment qu'ils acceptaient de payer ses services. J'ai très vite cessé de me rappeler leurs noms ; leurs visages avaient fini par se confondre en un seul, dont les yeux rougis m'examinaient avec un vague intérêt. En général, ma présence dans l'appartement les mettait aussi mal à l'aise que moi.

– Tu ne m'avais pas dit que tu avais une fille ! s'étonnaient-ils.

Avec un haussement d'épaules, maman répliquait alors :

– Ah, bon ? Eh bien, voilà... Ça te pose un problème ?

Certains ne disaient rien, d'autres répondaient que non ou secouaient la tête en riant.

– C'est toi qui as un problème, lui déclara un soir l'un d'eux.

Ce qui la poussa à se lancer dans une tirade interminable à propos de mon père.

Nous parlions rarement de lui. Maman se contentait de dire que c'était un beau Latino, incapable pour autant de prendre ses responsabilités ; n'ayant

10

pas su nous faire vivre, il représentait pour elle la pire des déceptions.

– Les hommes sont tous comme ça, ajoutait-elle immanquablement pour me prévenir du malheur qui m'attendait.

Elle finit par me faire croire que les promesses de mon vrai père étaient semblables à des arcs-en-ciel : merveilleuses sur le moment mais promptes à s'évanouir. Il n'en restait que de vagues souvenirs. Quant au trésor qu'elles annonçaient, inutile de le chercher ! Mon père ne reviendrait pas et il ne nous donnerait jamais de ses nouvelles.

Pour autant que je peux m'en souvenir, l'immeuble où nous avions notre deux-pièces semblait tenir debout par le seul miracle du Saint-Esprit. Les murs des corridors étaient écaillés et perforés par endroits comme si quelque créature démoniaque avait tenté d'y creuser un chemin pour s'échapper. La façade extérieure était couverte de graffitis et, de l'allée en béton, il ne restait plus que de la terre et des gravats. La petite pelouse qui séparait le bâtiment de la rue avait depuis longtemps viré en une broussaille jaunâtre et desséchée, jonchée de tant de détritus que l'on ne pouvait même plus y passer la tondeuse.

Les lavabos de notre appartement étaient bouchés ou fuyaient, selon le cas, et je ne me rappelle plus le nombre de fois où les toilettes ont débordé. Le trou d'évacuation de la baignoire était rongé par la rouille et le ballon d'eau chaude de la douche, qui gouttait sans cesse, s'épuisait régulièrement avant que je finisse de me laver les cheveux. Nous n'étions pas épargnées par les souris, dont je trouvais souvent les crottes dans les tiroirs ou sous les meubles. Parfais même, je les entendais filer à mon approche et, un jour, j'en ai vu une se précipiter sous la commode. Nous leur mettions des pièges mais, chaque fois que nous en attrapions une, il en arrivait dix autres pour prendre sa place.

Maman me jurait tout le temps que nous quitterions bientôt cet endroit. Un nouvel appartement nous attendait de l'autre côté de la rue, que nous pourrions habiter dès qu'elle aurait réussi à économiser les cent dollars de la caution. Mais je savais que, lorsqu'elle parvenait à conserver quelques sous, ceux-ci se trouvaient aussitôt engloutis dans du whisky, de la bière ou de la drogue. Un de ses derniers petits amis l'avait initiée à la cocaïne ; elle en prenait rarement, car c'était bien trop cher pour elle.

Nous avions un poste de télévision dont l'image sautait souvent. J'arrivais à la rétablir parfois en tapant de la paume sur le côté de l'appareil. Certains mois, maman recevait un chèque d'allocations ; je n'ai jamais compris l'irrégularité de ses prestations. Hurlant de rage contre les services sociaux, elle faisait des pieds et des mains pour obtenir l'argent qui lui revenait. Si c'était moi qui trouvais ce chèque dans le courrier, je me dépêchais d'aller le toucher en liquide dans un magasin que tenait une amie de ma mère, et j'achetais de la nourriture pour nous deux et des habits pour moi-même. Si c'était elle qui ouvrait l'enveloppe, elle s'empressait de cacher l'argent pour ne m'en accorder qu'une partie au compte-gouttes, avec laquelle je devais me débrouiller.

Je savais que les autres enfants de mon âge volaient ce qu'ils ne pouvaient s'offrir, mais ce n'était pas mon genre. Il y avait une fille dans mon immeuble, Lila Thomas, qui, pendant les week-ends, faisait des descentes dans les centres commerciaux avec d'autres copines. Plusieurs fois, elle s'était fait arrêter pour vol à l'étalage mais cela ne l'impressionnait pas et elle n'hésitait pas à recommencer. Et elle se moquait de moi parce que je refusais de l'accompagner. Elle m'appelait la « guidouille » et racontait à tout le monde que je finirais ma vie en vendant des biscuits au porte-à-porte.

Je me fichais pas mal de ne pas l'avoir pour amie. Le plus souvent, j'étais contente de rester seule pour lire un magazine ou regarder un feuilleton quand j'arrivais à faire marcher la télévision. J'essayais de ne pas penser à maman qui dormait encore dans la pièce voisine, peut-être avec un nouveau venu dans son lit. À force, j'avais fini par voir au travers des gens et à prétendre qu'ils n'étaient même pas là.

– Tu as sacrément intérêt à aller à l'école demain, Rebecca, marmonna-t-elle avant de repousser une mèche de sa joue. Je n'ai pas envie que les « officiels » viennent encore fouiner chez moi. Tu m'entends ?

– Oui...

Elle posa sur moi un regard dur et avala une autre lampée de bière. Il n'était que neuf heures du matin ; je détestais l'odeur de cette boisson et la seule idée d'en boire si tôt dans la journée me retournait l'estomac.

Soudain, maman se rappela quel jour nous étions et, donc, que j'aurais dû être à l'école. Ses yeux parurent sortir de leurs orbites.

– Qu'est-ce que tu fais là ? s'écria-t-elle.

– J'ai mal au ventre. J'ai mes règles qui arrivent. C'est ce que l'infirmière de l'école m'a dit quand je me suis mise à avoir des élancements et que j'ai quitté la classe.

Elle posa sur moi un regard glacial et hocha la tête.

– Bienvenue au club, lâcha-t-elle. Tu comprendras vite pourquoi les parents remercient le ciel quand ils ont un garçon. La vie est tellement plus facile pour les hommes.

14

Pointant vers moi le goulot de sa bouteille, elle ajouta :

– Maintenant, tu as intérêt à te surveiller.

– Qu'est-ce que tu veux dire ?

– Ce que je veux dire ? répéta-t-elle avec un sourire hargneux. Je veux dire que, si tu as tes règles, c'est que tu peux tomber enceinte, Rebecca. Et ce n'est pas moi qui m'occuperai d'un bébé. Certainement pas.

– Mais je ne suis pas enceinte, maman !

Elle partit d'un rire cruel.

– Moi aussi, je disais ça. Et regarde ce qui est arrivé.

– Alors, pourquoi m'as-tu gardée ? lui lançai-je avec violence.

J'étais fatiguée de l'entendre me dire quel fardeau je représentais pour elle alors qu'il n'en était rien. Qui gardait l'appartement vivable en rangeant ce qui restait de ses colères d'ivrogne, en lavant la vaisselle et les vêtements, en nettoyant le sol ? Qui faisait les courses et cuisinait la plupart du temps ? Parfois, quand elle y pensait, elle rapportait de quoi manger du bar où elle travaillait. Mais, le temps d'arriver à la maison, les plats étaient devenus froids et graisseux.

– Pourquoi t'ai-je gardée ? maugréa-t-elle, l'air ahurie, comme s'il était trop difficile de répondre à cette question.

Puis, soudain, elle s'écria, les yeux brillants de colère :

– Pourquoi ? Je vais te le dire. Parce que ton cubain et macho de père allait nous construire une maison ! Il était certain que tu serais un garçon. Comment pouvait-il avoir autre chose qu'un garçon ? Alors, quand tu es née...

– Quoi ? demandai-je en la sentant hésiter.

Des détails sur mon père ou sur ce qu'était la vie pour elle à cette époque relevaient quasi du secret-défense.

– Il m'a quittée. Dès qu'il a posé les yeux sur toi, il a fait une horrible grimace et il a dit : « C'est une fille ? Impossible qu'elle soit de moi. » Et il est parti. Depuis, je n'ai plus entendu parler de lui.

Elle demeura pensive un moment puis ajouta d'une voix terne :

– Que ça te serve de leçon à propos de ce que valent les hommes.

Quelle leçon ? Qu'étais-je censée ressentir en apprenant que mon père n'avait pas supporté de me voir, que ma naissance l'avait fait fuir ? Qu'étais-je censée éprouver en entendant presque chaque soir que ma mère ne m'avait pas désirée ? Parfois même, elle m'appelait sa punition. Je représentais le châtiment de Dieu.

Mais en quoi estimait-elle avoir péché ? Certainement pas en s'adonnant à la boisson, à la drogue ou aux errances nocturnes. Non, son seul péché avait été de faire confiance à un homme. Avait-elle eu raison de croire en lui ? Était-ce ainsi que tous les hommes se comportaient ? La plupart des amies de ma mère étaient d'accord avec elle là-dessus. Et la plupart de mes amies, issues de foyers tout aussi sordides que le mien, entendaient leurs mères seriner les mêmes choses.

Je me sentais plus seule que jamais. Mûrir, devenir une femme, paraître plus que mon âge, tout cela ne me rendait pas plus forte et me rappelait, au contraire, que je n'avais vraiment personne au monde. Tant de questions se bousculaient dans ma tête, tant de choses me troublaient dont j'aurais voulu parler à ma mère. Mais j'avais peur de lui confier mes inquiétudes et, le plus souvent, je la savais incapable de penser et de raisonner assez clairement pour me répondre.

– Tu as ce qu'il te faut ? me demanda-t-elle brusquement en jetant sa bouteille vide dans la poubelle.

– Ce qu'il me faut... ?

– Des serviettes hygiéniques. Cette infirmière ne t'a pas dit ce qu'il te fallait ?

– Si, maman, j'ai ce qu'il faut.

C'était un mensonge. Je n'avais rien.

De quoi avais-je besoin en réalité ? D'une vraie mère et d'un vrai père, pour commencer. Mais, des gens comme cela, je n'en voyais qu'à la télévision.

– Rebecca, me lança-t-elle tout à trac, si j'apprends encore que tu as manqué l'école, j'appelle ton onde Reuben !

Elle utilisait souvent son frère en guise de menace. Elle savait que je ne l'aimais pas, que j'avais toujours détesté sa compagnie. Je ne croyais pas non plus que ses propres enfants l'aimaient et je sentais intimement que ma tante Clara avait peur de lui. Je le voyais dans ses yeux.

Enfin, maman alla se recoucher. Restée seule, je m'assis près de la fenêtre et regardai dans la rue. Notre deux-pièces se trouvait au deuxième étage ; il n'y avait pas d'ascenseur, bien sûr, juste un sem- blant d'escalier qui menaçait de s'effondrer quand des gamins dégringolaient les marches au galop ou quand Mr Winecoup, notre voisin du dessus, mon- tait de son pas lourd. Il devait peser facilement cent trente kilos et le plafond vibrait quand il marchait dans son appartement.

Je contemplai les montagnes qui se dessinaient au loin et me demandai ce qu'il y avait au-delà. Je me pris soudain à rêver que je m'enfuyais là-bas, dans l'espoir de trouver un endroit où le soleil bril- lait tout le temps, où les maisons étaient propres et sentaient bon, où les parents riaient et aimaient leurs enfants.

« Autant aller vivre à Disneyland, résonna une petite voix dans mon esprit. Arrête de rêver. »

Je me levai alors et entamai ma journée de solitude, trouvant quelque chose à grignoter, regardant un peu la télévision, attendant que maman se réveille pour que nous puissions parler un peu avant qu'elle ne parte travailler.

Lorsqu'elle était reposée et qu'elle avait digéré ses excès de la nuit, elle s'asseyait devant son miroir et s'arrangeait les cheveux et le visage pour donner aux autres l'illusion qu'elle était encore saine et séduisante. Tout en se maquillant, elle se lamentait sur sa vie et sur ce qu'elle aurait pu devenir si elle n'était pas tombée amoureuse du premier beau garçon venu et n'avait pas cru à ses mensonges.

Je tentais alors de lui poser quelques questions sur sa jeunesse mais elle avait une sainte horreur de parler de sa famille. Ses parents l'ayant quasi reniée, elle avait quitté la maison à l'âge de dix-huit ans mais n'avait jamais pu réaliser aucun de ses rêves. La plus grande aventure de sa vie avait été un petit flirt avec le métier de mannequin. Le directeur d'un grand magasin l'avait engagée pour servir de modèle dans le rayon du prêt-à-porter féminin.

– Mais, très vite, il m'a fait comprendre qu'il attendait aussi de moi d'autres services, plus intimes, me déclara-t-elle un soir avec amertume. Alors, je suis partie.

Et, une fois de plus, elle se lança dans une aigre tirade sur la gent masculine.

– Si tu détestes tant les hommes, lui demandai-je alors, pourquoi t'en trouves-tu un nouveau presque chaque soir ?

– Garde pour toi ta morale de quatre sous, Rebecca ! me rétorqua-t-elle durement.

Elle resta pensive un instant puis ajouta avec un haussement d'épaules :

– J'ai bien le droit de m'amuser, non ? Je travaille dur pour gagner ma vie. Eh bien, qu'ils me sortent un peu et dépensent leur argent pour moi !

– Tu n'as pas envie de rencontrer quelqu'un de gentil, maman ? Tu n'as pas envie de te remarier... ?

Elle examina son image dans le miroir. Ses yeux parurent tristes un instant, avant de s'assombrir de colère. Vivement, elle se tourna vers moi et s'écria :

– Non ! Je ne veux plus qu'aucun homme se croie des droits sur moi ! Et puis... Je ne me suis jamais mariée. Je ne suis jamais passée devant le maire ni devant le curé, si tu veux savoir...

– Mais je croyais... Mon père...

– C'était ton père mais ce n'était pas mon mari. On vivait ensemble, c'est tout.

Embarrassée, elle se détourna.

– Mais je porte son nom... Flores...

– C'était juste pour protéger ma réputation, avoua-t-elle avant de me gratifier d'un sourire glacé. Tu peux prendre le nom que tu veux.

Je crus défaillir. Je n'avais même pas de nom !

Qui voyais-je donc dans le miroir ? Personne...
Personne.

« Autant être invisible », finis-je par conclure
avant de revenir m'asseoir près de la fenêtre pour
contempler les montagnes où se profilait l'espoir de
jours meilleurs.

Cet espoir...

C'était tout ce que je possédais.

1

Un réveil brutal

Des coups violents me réveillèrent en sursaut. Je ne savais pas s'ils venaient de la porte ou des murs voisins tant l'immeuble était bruyant, de jour comme de nuit. Les chocs s'amplifièrent, devenant presque hystériques, puis j'entendis la voix de mon oncle Reuben.

– Rebecca, bon sang, réveille-toi ! Rebecca !

Il tapait si fort contre le battant que je crus un instant que son poing allait passer au travers. Je saisis ma robe de chambre et me levai en vitesse.

– Maman ! appelai-je.

Puis, en me frottant les yeux, j'écoutai. Il me semblait l'avoir entendue rentrer quelques heures plus tôt mais toutes ces nuits se mêlaient tellement dans mon esprit que je pouvais me tromper.

– Maman ?

Les coups redoublèrent et firent vibrer le chambranle tout entier. Je me ruai alors vers la chambre de ma mère. Elle était vide.

– Rebecca ! Lève-toi !

– J'arrive ! criai-je avant de courir vers la porte.

Lorsque je l'ouvris, oncle Reuben la poussa si violemment qu'il faillit me renverser.

– Que se passe-t-il ? lui demandai-je.

Le couloir n'était éclairé que d'une ampoule nue qui donnait aux murs sales et sombres une couleur de vieux sac en papier humide. Cette lumière diffuse me révéla la haute et puissante silhouette de mon oncle. Tel un oiseau de proie, il déployait son mètre quatre-vingt-dix sur le seuil ; le silence qui suivit son irruption bruyante m'effraya plus encore que le reste. À son souffle court et haché, je devinai qu'il avait grimpé les marches quatre à quatre.

– Qu'est-ce que vous voulez ? articulai-je d'une voix sourde.

– Prends quelques affaires, ordonna-t-il. Tu viens avec moi.

– Quoi... ? Mais pourquoi ?

Avec un mouvement de recul, je me plaquai les bras contre la poitrine. Moi qui aurais redouté de sortir avec lui en plein jour, je frémis à l'idée de le suivre dehors si tard dans la nuit.

– Allume, veux-tu ? demanda-t-il sur un ton péremptoire.

À tâtons, je cherchai l'interrupteur et allumai la lampe de la cuisine. L'éclairage me révéla le visage bouffi, rouge et transpirant de mon oncle dont le regard sombre trahissait l'affolement. Il ne portait sur lui qu'un tee-shirt taché et un jean graisseux. Malgré une situation bien assise dans les bureaux des Ponts et Chaussées, il continuait d'entretenir la puissante musculature qu'il avait acquise au fil des ans sur les chantiers. La coupe militaire de ses cheveux bruns faisait ressortir ses trop grandes oreilles. Toute ma vie je m'étais demandé comment cet homme aux traits grossiers et maman pouvaient être frère et sœur : seuls ses yeux noirs rappelaient un peu ceux de ma mère.

– Qu'est-ce qu'il y a ? répétai-je. Pourquoi êtes-vous ici ?

– Oh, ce n'est pas pour mon plaisir, crois-moi, répondit-il avant d'aller se servir un verre d'eau. Ta mère est en prison.

– Quoi ?

Après avoir avalé de longues gorgées, il reposa son verre dans l'évier en pensant peut-être qu'une femme de ménage allait le laver derrière lui. Puis il se tourna vers moi. Le regard cruel qu'il me jeta alors me glaça et je ne pus réprimer un frisson.

– Pourquoi est-ce que maman est en prison ?

25

– Elle s'est fait pincer avec un dealer. Je peux te dire qu'elle est dans de sales draps. Tu vas devoir t'installer chez nous, et peut-être pour toujours, cette fois.

Puis, comme pour me laisser le temps d'encaisser la terrible nouvelle, il alla cracher dans l'évier.

– M'installer chez vous... répétai-je, atterrée.

– Crois-moi, ça ne m'enchante pas, reprit-il avec un dégoût manifeste. C'est elle qui m'a demandé de venir te chercher.

Ouvrir et fermer la bouche pour prononcer ces mots semblait lui coûter de gros efforts. Son regard ne cessait d'aller et venir dans le petit appartement.

– Une vraie porcherie ! Comment peut-on vivre dans un endroit pareil ?

Sans me laisser le temps de répondre, il ajouta sur un ton sec :

– Prends tes affaires. Je ne veux pas moisir ici une minute de plus.

– Combien de temps va-t-elle rester en prison ? demandai-je en sentant des larmes perler sous mes paupières.

– Je ne sais pas, répliqua-t-il froidement. Plusieurs années, peut-être. Depuis ses dernières malversations, elle était en liberté surveillée. Il est tard, Rebecca. Dans quelques heures, je dois me lever pour aller travailler. Dépêche-toi.

– Mais pourquoi est-ce que je ne peux pas rester ici ? me lamentai-je.

– Pour la bonne raison que le juge ne le permettra pas. Je te prenais pour une fille intelligente. Si tu refuses de venir avec moi, on te placera d'office dans une famille d'accueil.

Pendant un long moment, je réfléchis à cette éventualité ; vivre avec des étrangers m'effrayait moins que prendre pension chez mon oncle.

– Et l'autre bonne raison, c'est que je l'ai promis à ta mère, précisa-t-il avant de m'accorder un sourire glacial. Je sais ce que tu penses, et j'ai même été surpris qu'elle me demande de te prendre avec moi.

L'estomac noué, le cœur battant à tout rompre, je crus un instant que j'allais défaillir, et dus me détourner pour qu'il ne voie pas les larmes couler le long de mes joues. Puis, brusquement, je courus dans la chambre et ouvris le placard pour en sortir mes vêtements. La seule valise dont je disposais était trop petite et ne restait fermée qu'à l'aide d'une courroie. Après l'avoir extirpée de sous le lit de maman, je me mis à la remplir du peu d'habits que je possédais.

Oncle Reuben apparut alors sur le seuil et jeta un regard circulaire dans la pièce.

– Ça pue, ici.

Sans mot dire, je continuai d'emballer mes

affaires. Ignorant combien de temps j'allais devoir vivre chez lui et tante Clara, je ne voulais surtout pas manquer de chaussettes et de culottes.

– Tu n'as pas besoin de tout ça, me dit-il quand je me retournais pour attraper d'autres vêtements. Je ne veux pas avoir de cafards dans ma maison. Prends juste l'essentiel.

– Je ne possède que l'essentiel : un chemisier, quelques tee-shirts, deux jeans et une robe. Et il n'y a pas de cafards dans le placard ni dans mes habits !

Il marmonna une réponse inintelligible. Jamais je n'avais aimé oncle Reuben. Bourré de préjugés, il passait son temps à dire à maman que ses problèmes avaient commencé le jour où elle s'était mise en ménage avec son Cubain. Il s'estimait supérieur à nous parce qu'il avait une bonne situation et qu'il portait un costume pour aller travailler.

J'avais deux cousins, à l'époque : William, âgé de neuf ans, et Jennifer, qui en avait quatorze.

William était un garçon docile et tranquille qui, comme moi, aimait se retrouver seul. Il ne parlait pas beaucoup, au point qu'un jour j'ai entendu tante Clara dire qu'à l'école on le prenait pour un autiste.

Jennifer, quant à elle, n'était qu'une bêcheuse. Affichant des airs méprisants, elle se croyait visiblement plus jolie et plus intelligente que toutes les autres filles de son âge. Un jour, lorsque j'avais cinq ans, elle m'avait mise dans une telle rage que je lui avais violemment écrasé le pied au risque de lui briser un orteil.

Je terminai ma valise en y ajoutant au dernier moment un jean et un pull. Oncle Reuben me regardait faire sans me quitter des yeux et je dus me réfugier dans la salle de bains pour me changer. Lorsque j'en sortis, il avait ma mallette à la main et attendait sur le seuil.

– Allez, on s'en va, me dit-il avec impatience. Je vais attraper une maladie si je reste plus longtemps ici.

Oncle Reuben vivait avec ma tante Clara et mes cousins dans une belle maison bourgeoise. Maman et moi ne nous y rendions que rarement mais j'avais toujours envié le grand jardin, les meubles de qualité, les salles de bains immaculées et le fait que William et Jennifer possèdent chacun leur chambre.

La propriété se trouvait dans un petit village un peu éloigné de la ville, ce qui m'obligerait à changer d'école.

– Où est-ce que je dormirai ? demandai-je à oncle Reuben tout en enfilant mes baskets.

– Clara t'installera pour le moment dans son atelier de couture, il y a un lit pliant. Ensuite, on verra. Allez, viens.

– Mais... je dois vraiment tout laisser ?

m'inquiétai-je en jetant un regard désolé sur le petit appartement.

– Qu'est-ce que tu as à laisser ? marmonna-t-il en se dirigeant vers l'entrée. De la vaisselle ébréchée, du mobilier de récupération et des rats ? Il n'y a rien à regretter dans ce taudis.

Je fis une pause sur le palier tandis qu'il descendait. Effectivement, cet endroit n'était qu'un trou sombre, terne et délabré, et même pourri par endroits. Mais c'était chez moi, et depuis si longtemps que cela constituait mon petit univers. J'avais toujours rêvé de le quitter mais, à présent que l'heure du départ était venue, je me sentais immensément triste et, surtout, terrifiée.

– Rebecca ! cria oncle Reuben, arrivé en bas des marches.

– Silence ! lui répondit une voix d'un appartement voisin. On essaie de dormir, ici !

Je fermai en vitesse la porte derrière moi et descendis le rejoindre. Ensemble, nous débouchâmes dans la rue déserte. Il faisait nuit noire et la plupart des gens dormaient encore.

Oncle Reuben jeta ma valise dans le coffre de sa voiture et s'installa au volant. Il me fit signe de m'asseoir à ses côtés et je m'exécutai sans mot dire. Mon regard ensommeillé se posa sur l'immeuble où j'avais passé tant d'années. Seule une des trois lampes du porche marchait encore et sa faible lueur éclairait de façon lugubre la peinture écaillée de la façade et les fenêtres brisées de la cave.

– Tu as de la chance que je n'habite pas loin et que j'aie pu venir te récupérer tout de suite, déclara mon oncle. Sinon, tu serais déjà en route pour l'orphelinat.

– Je ne suis pas orpheline.

– Non, et c'est peut-être pis. Au moins les orphelins ne sont-ils pas affligés d'une mère comme la tienne.

– Comment pouvez-vous parler ainsi de votre sœur ? m'écriai-je, indignée.

Quoi que ma mère ait pu faire dans sa vie, je ne supportais pas qu'on la dénigre en ma présence.

– Calme-toi. Je ne compte plus les fois où j'ai dû payer une caution pour la sortir de prison. Mais, là, elle y est vraiment allée trop fort et, en fait, c'est peut-être mieux, qu'on en finisse avec tout ça. C'était sans espoir, de toute façon.

Se tournant un bref instant vers moi, il pointa sur mon visage un doigt menaçant avant d'ajouter :

– Quant à toi, je ne veux pas te voir corrompre mes enfants, tu m'entends ? Un seul geste déplacé, une seule parole de travers et je te jette dehors. Tu m'as bien compris ?

Pour toute réponse, je me blottis dans le coin de mon siège et fermai les yeux. « C'est un cauchemar, pensai-je alors, juste un mauvais rêve. Dans un instant, je vais me réveiller pour me retrouver sur le canapé-lit de notre appartement. Peut-être qu'alors j'entendrai maman rentrer en titubant dans sa chambre... »

Et, soudain, tous ces souvenirs ne me parurent pas si pénibles, finalement.

Le reste du chemin se fit dans un silence quasi total. Une ou deux fois, pourtant, oncle Reuben marmonna quelques injures ou se plaignit d'avoir été tiré de son sommeil par son ivrogne de sœur. Une bonne à rien...

— On devrait avoir le droit de renier ses parents ou sa famille, déclara-t-il sur un ton acerbe. On devrait pouvoir déclarer devant un tribunal qu'on est indépendant d'eux afin qu'ils ne puissent plus nous empoisonner l'existence.

Je m'efforçai de l'ignorer et finis par m'endormir.

Lorsque j'ouvris les yeux, la voiture s'arrêtait devant la maison. Il y avait de la lumière au rez-de-chaussée. Oncle Reuben sortit du véhicule et alla ouvrir le coffre pour en arracher ma valise, si violemment qu'il manqua de la déchirer. Traînant des pieds, je le suivis sur le perron ; tante Clara ouvrit la porte avant même que nous l'ayons atteinte.

Cette femme était un mystère pour moi. Aucun couple à mes yeux ne semblait aussi mal assorti que celui qu'ils formaient. Avec sa voix douce, sa taille menue, elle avait tout d'une personne fragile et

délicate. Son visage avenant irradiait la bienveil-
lance, la gentillesse. Jamais elle ne nous regardait
de haut, jamais elle ne nous critiquait, quoi que ma
mère ait pu faire. Celle-ci, qui l'aimait beaucoup,
m'avait d'ailleurs souvent dit qu'elle plaignait bien
plus le sort de sa belle-sœur que le sien propre.

– C'est un véritable cauchemar de vivre avec
mon frère... me répétait-elle régulièrement.

Tante Clara avait une chevelure châtain clair
sagement tirée derrière les oreilles. Bien que peu
maquillé, son visage était lumineux et gai, sans
doute à cause du bleu profond de son regard et du
sourire qu'elle gardait en permanence au coin des
lèvres. Elle était à peine plus grande que moi et,
quand elle se tenait debout à côté d'oncle Reuben,
on la prenait facilement pour l'une de leurs enfants.

Elle nous attendait sur le seuil, les mains pressées
sur sa frêle poitrine.

– Ma pauvre petite, dit-elle. Entre vite.

– Pauvre... tu as raison, rétorqua oncle Reuben.
Si tu voyais ce taudis... Comment une femme peut-
elle vivre dans un endroit pareil et y élever son
enfant ?

– Eh bien, cette enfant en est sortie, maintenant.

– Oui, c'est ça... Moi, je retourne au lit. Il y a
des gens qui travaillent pour gagner leur vie, eux.

Sur ces paroles, abandonnant ma valise au milieu
de l'entrée, il se dirigea vers l'escalier et le monta

d'un pas si rageur que la rampe vibra sous sa poigne de fer.

— Veux-tu une tasse de lait chaud, Rebecca ? proposa ma tante.

— Non, merci.

— Tu es fatiguée aussi, j'imagine. Tout cela est bien éprouvant, n'est-ce pas ? Suis-moi. Je t'ai installé une chambre dans mon atelier de couture.

La pièce se trouvait au rez-de-chaussée, juste derrière le salon. Assez petite, elle était égayée par un papier peint fleuri et un tapis beige clair. Non loin du lit pliant, il y avait une table avec une machine à coudre, et un fauteuil en bois au siège capitonné. De l'autre côté, près d'un bureau, une grande fenêtre ornée de rideaux de coton donnait à l'est et recevait ainsi toute la lumière du matin. Sur les murs, pendaient quelques broderies, sans doute exécutées par tante Clara, qui représentaient des scènes de vie à la ferme ; l'une d'elles montrait une jeune femme et une fillette assises près d'un ruisseau.

— Tu sais où est la salle de bains, me rappela-t-elle. Au bout du couloir. J'aurais aimé t'offrir une autre chambre mais...

— Celle-ci est parfaite, tante Clara. Je suis désolée de vous priver de votre atelier de couture.

— Oh, ce n'est rien, je pourrai coudre ailleurs. N'y pense plus, mon petit. Demain, tu te reposeras tranquillement et peut-être qu'en fin de journée nous irons à l'école pour t'y inscrire. Ton oncle et moi ne voulons pas que tu prennes du retard dans tes études.

Si elle savait à quel point j'avais déjà pris du retard... Mais comment le lui avouer ?

– Voici une brosse à dents neuve, elle est pour toi. On me l'a donnée chez le dentiste, la dernière fois que je suis allée le consulter.

– Merci, tante Clara.

Elle me regarda un moment puis hocha la tête et me caressa les cheveux.

– Nos pauvres enfants, ce que nous leur faisons subir... marmonna-t-elle avant de m'embrasser sur le front.

Puis elle quitta la pièce en silence et monta au premier étage.

Je demeurai immobile un long moment. Pour ma tante, cette pièce ne représentait pas grand-chose mais, à mes yeux, c'était plus beau qu'un hôtel de luxe. Sa maison sentait bon ; elle était propre et merveilleusement silencieuse. Pas de marches qui craquent, pas de voix résonnant de l'autre côté des murs, pas de bruits de pas au-dessus de nos têtes.

Enfin, je me déshabillai et me glissai sous les draps frais et l'édredon douillet. J'éprouvais à la fois un tel bien-être et une si grande fatigue que j'oubliai un instant que maman se trouvait en prison.

J'étais trop épuisée, trop inquiète, trop bouleversée pour penser encore à tout ce qui venait de se passer.

Je fermai les yeux.

Lorsque je les rouvris, ce fut pour m'apercevoir que quelqu'un m'observait. C'était le matin, le soleil inondait la chambre et je ne me rappelais plus où j'étais. Je m'assis brusquement. William se tenait près du lit et me dévisageait non sans curiosité.

– Maman dit que tu vas habiter chez nous, maintenant, dit-il lentement.

Je me frottai le visage et poussai un long soupir tandis que les événements de la veille me revenaient peu à peu en mémoire.

– William ! cria soudain la voix puissante d'oncle Reuben. Ramène-toi par ici et finis ton petit déjeuner !

Mon cousin hésita un instant puis fit demi-tour et sortit de la chambre en courant. Je me recouchai et regardai le plafond d'un air absent.

– Ta mère est en prison ? entendis-je alors Jennifer me lancer du pas de la porte.

Je levai la tête et la regardai. Ses cheveux châtains étaient retenus en arrière par un ruban. D'assez haute taille, elle avait une large ossature qui lui faisait une silhouette lourde. Chez elle, c'étaient les traits d'oncle Reuben qui prédominaient : elle avait le nez et la bouche plus grands et plus épais que ceux de sa mère. Quant à ses yeux, s'ils paraissaient les mêmes, ils détonnaient dans ce visage plat et sans grâce. Bref, elle n'avait rien d'une beauté. Cependant, il était visible que son père la trouvait ravissante et la préférait à William qui devait lui paraître trop fragile, et trop semblable à tante Clara.

– C'est ce que dit ton père, répliquai-je.

– Je ne vois pas pourquoi il mentirait. Tu te rends compte comme c'est gênant pour nous ? Et dire que tu vas aller dans la même école que moi...

– Ça ne m'enchante pas, figure-toi.

– Ne t'avise pas de parler de ta mère à l'école, en tout cas. On inventera une histoire.

– Quelle histoire ? lui demandai-je avec méfiance.

Elle demeura un instant songeuse puis laissa tomber avec un sourire méchant :

– Je sais, on va dire qu'elle est morte.

2

Le cauchemar de Cendrillon

– Pour qui tu te prends ? aboya soudain la voix d'oncle Reuben. Tout le monde est levé et a fini son petit déjeuner. Ne crois pas que Clara va te servir comme une princesse.

– J'allais me lever, répondis-je. Je ne savais pas qu'il était si tard. Il n'y a pas de réveil dans cette chambre et je n'ai pas de montre.

– Pas de réveil ? Je vais t'en trouver un, tu vas voir. Ce genre d'excuse ne marche pas avec moi.

– Ce n'est pas une excuse, c'est la vérité.

Il se tenait sur le seuil, les mains sur les hanches. Jetant un rapide coup d'œil dans le couloir, il entra dans la chambre puis annonça :

– Je crois qu'il est temps d'établir quelques règles bien fermes entre nous. Premièrement, dès demain, tu te lèveras avant tout le monde, tu mettras le couvert pour le petit déjeuner et tu prépareras le café. Avant de partir à l'école, tu t'assureras que la table est débarrassée et que la vaisselle est lavée et rangée. Puis, en rentrant le soir, tu aideras Clara à s'occuper de la maison. Je veux te voir faire le ménage, nettoyer les fenêtres et les sols, et participer à la lessive. Ne crois pas pouvoir t'en tirer comme ça sous prétexte que ta mère est complètement détraquée.

Muette, je me contentai de le regarder d'un œil noir.

– Quand je te pose une question, j'exige une réponse. Tu as nettement besoin d'être reprise en main. Tu vivais dans ce trou comme un animal sauvage avec, pour seule compagnie, ma poivrote de sœur. Mais, aujourd'hui, tout ça, c'est terminé, tu m'entends ?

– Je ne vivais pas comme un animal sauvage ! m'écriai-je.

Il eut un petit sourire narquois.

– Tu sembles oublier que je deviens dorénavant ton tuteur légal. Ce qui veut dire qu'à l'avenir tu seras sous mon entière responsabilité et que tu auras des comptes à me rendre. Et je te préviens, Rebecca, qui aime bien châtie bien. Tu m'as compris ?

Levant alors ses mains dont les paumes me parurent aussi larges que des pagaies, il ajouta comme s'il attendait une réponse :

– Eh bien ?

– Oui, murmurai-je. Oui...

Il se tenait à présent tout près du lit, me dominant de toute sa hauteur, le visage rouge de colère. Je savais que, au moindre faux pas, à la moindre parole de travers, il me frapperait. Et j'avais peur.

Pourquoi s'éternisait-il dans ma chambre, maintenant ? Pourquoi me détaillait-il d'un œil mauvais ? En frissonnant, je tirai l'édredon jusqu'à mes épaules mais j'eus la désagréable impression qu'il pouvait voir à travers.

– Tu grandis, Rebecca. Et un peu trop vite, à mon goût. Je me rappelle ce qui est arrivé à ta mère quand les garçons ont commencé à la regarder. Ne t'avise pas de prendre le même chemin. Je ne veux pas te voir corrompre ma Jennifer, tu m'entends ?

Sentant les larmes me monter aux yeux, je me détournai. Il m'était impossible à présent de supporter son regard. Je n'étais pas malade. Je n'allais pas infecter sa précieuse Jennifer.

Après avoir marmonné quelques paroles incompréhensibles, il quitta enfin la pièce. Tendant l'oreille, je devinai qu'il répétait à tante Clara ce qu'il venait de me dire, quelles tâches il m'imposait dans la maison. Elle ne discuta pas. Un peu plus tard, je l'entendis partir avec Jennifer et William. J'attendis un moment puis me levai.

– Tu as faim, mon enfant ? me demanda tante Clara tandis que je me rendais à la salle de bains.

– Un petit peu, oui.

– Le café est encore chaud et il y a des œufs, si tu veux. Des céréales, aussi.

– Je me débrouillerai, tante Clara. S'il vous plaît, ne vous croyez pas obligée de vous occuper de moi.

– Ne t'inquiète pas pour ça, me répondit-elle d'une voix douce.

Une fois prête, je me rendis à la cuisine et me préparai un bol de céréales. Ma tante me versa un peu de jus d'orange et s'assit à mes côtés tandis que je mangeais.

– Reuben aboie fort mais il ne mord pas, tu sais, me dit-elle dans l'espoir de me rassurer. Il est contrarié par tout ce qui vient d'arriver, c'est normal. Ignore tous les ordres qu'il vient de te donner.

– Mais je ne demande pas mieux que de vous aider, lui répliquai-je avec sincérité. J'ai toujours tout fait à la maison, vous savez.

– Je veux bien le croire, murmura-t-elle avant d'avaler une gorgée de café.

– Tante Clara, que va-t-il arriver à ma mère ? Va-t-elle vraiment rester longtemps en prison ?

– Je ne sais pas, Rebecca. Reuben a suggéré qu'on devrait sans doute la placer dans un centre de désintoxication, mais il faut attendre avant de prendre ce genre de décision. Tu sais, ce n'est pas la première fois qu'elle se met dans une telle situation.

J'acquiesçai en silence. Inutile de tenter de me persuader que tout cela n'était pas vrai, que tout cela n'était qu'un cauchemar de plus. Maman était dans de sales draps et moi aussi, par voie de conséquence. Qui, en effet, aurait demandé à vivre avec une cousine telle que Jennifer et un oncle tel que Reuben ? J'aurais préféré me retrouver à la rue.

Repose-toi un peu, ma petite, conseilla gentiment tante Clara. Tu as été très secouée. Je vais faire un peu de ménage puis nous déjeunerons et, après cela, je t'emmènerai à l'école pour te faire inscrire, d'accord ?

– Je vais vous aider à faire le ménage, tante Clara. C'est, de toute façon, ce que m'a ordonné oncle Reuben. Pour que la paix règne entre nous, je ne tiens pas à discuter ses ordres, vous me comprenez ?

– Oui, d'accord, reprit-elle en souriant avant de me tapoter la main. Mais, d'abord, finis tranquillement ton petit déjeuner.

Elle me laissa alors pour monter au premier étage. Lorsque j'eus terminé, je lavai toute la vaisselle et nettoyai la table. Je rejoignis ma tante au moment où elle commençait à faire la chambre de Jennifer. Stupéfaite par le désordre qui y régnait, je m'arrêtai net sur le pas de la porte. Au milieu des vêtements éparpillés, gisait par terre une assiette avec un reste de tarte aux pommes, tandis que le téléphone traînait encore sur le lit défait. Jennifer avait dû discuter avec une amie tout en mangeant sa part de tarte ;

mais pourquoi l'avait-elle laissée ainsi ? Ne craignait-elle pas les souris et les insectes ?

Quant à la salle de bains qu'elle partageait avec William, elle semblait avoir été abandonnée à la hâte. Un pot de crème restait ouvert, le lavabo était plein d'eau savonneuse, le tube de dentifrice avait perdu son bouchon et un gant-éponge trempé pendait à la poignée de la porte. Près des toilettes, des magazines éparpillés jonchaient le sol et la porte ouverte de la douche laissait apercevoir une serviette humide oubliée.

Sans faire aucun commentaire, tante Clara se mit à nettoyer ce capharnaüm.

– Pourquoi laisse-t-elle sa chambre et sa salle de bains dans un tel état ? m'entendis-je demander malgré moi. C'est à croire qu'oncle Reuben n'y met pas souvent les pieds.

Qui me parlait de porcherie, un peu plus tôt... ?

– Oh, si, répondit-elle en lâchant un profond soupir. Je ne cesse de la rappeler à l'ordre mais Jennifer... Jennifer est un peu gâtée.

– Un peu ? je dirais plutôt gâtée pourrie, oui.

Cela ne m'empêcha pas d'aider tante Clara comme je le lui avais promis. Je nettoyai donc la salle de bains jusqu'à ce qu'elle paraisse immaculée, sans oublier les miroirs, tous plus ou moins souillés de rouge à lèvres ou de fard.

La chambre de William me parut nettement plus

propre. Seul le lit était défait et il ne me fallut pas beaucoup de temps pour tout remettre en ordre.

Dès que j'eus terminé, je redescendis et fis un peu de ménage dans l'atelier de couture devenu ma chambre. Je repliai le lit pour lui rendre son allure de divan et, une fois mes quelques affaires rangées, personne n'aurait pu se rendre compte que j'avais dormi ici.

– Tu n'as pas à faire cela chaque jour, Rebecca, me fit remarquer tante Clara. Il te suffit de fermer la porte, tu sais.

– Je suis sûre que cela ne suffira pas à oncle Reuben, répliquai-je.

Elle ne répondit rien. Bien qu'il ne soit pas là, l'ombre de mon oncle semblait planer sur la maison. À la façon dont tante Clara regardait sans cesse par-dessus son épaule, on sentait que la présence de son mari la hantait, qu'elle craignait que nos propos lui parviennent d'une façon ou d'une autre.

Après avoir fini les salles de bains, elle entreprit de passer l'aspirateur dans le salon. Je l'aidai en essuyant la poussière sur les meubles et en balayant la cuisine. Je devais absolument m'occuper pour ne pas penser à maman, pour ne pas l'imaginer seule dans sa cellule...

– Tu travailles bien, Rebecca, dit soudain ma tante. J'espère que tes bonnes habitudes déteindront un peu sur celles de Jennifer.

Le ton de cette dernière réflexion me parut cependant dénué de tout optimisme.

Tante Clara prépara ensuite un repas léger, une salade de poulet que nous mangeâmes ensemble, assises à la table de la cuisine. Je ne savais en fait pas grand-chose de cette femme. Elle me parla de l'endroit où elle avait grandi et me raconta la façon dont elle avait rencontré oncle Reuben. Il venait alors de trouver un emploi aux Ponts et Chaussées et elle sortait tout juste du lycée avec son bac en poche.

– Tu sais, sur les chantiers, il avait l'air d'un Apollon. C'était l'été ; il travaillait torse nu et sa poitrine musclée brillait au soleil... Il était bien plus mince qu'aujourd'hui, c'est un fait.

Elle se mit à rire avant d'ajouter :

– Un jour, il a prétendu avoir des travaux à faire devant la maison de mes parents uniquement pour pouvoir me voir. Nous nous sommes mariés quatre mois plus tard. Ma mère espérait que je m'inscrive au moins dans une école de secrétariat mais, quand on est jeune, c'est l'impulsion qui commande.

L'air songeur, elle resta silencieuse un moment. Puis elle secoua la tête et me tapota la main avant de poursuivre :

– Surtout, ne te précipite pas dans les bras du premier homme que tu rencontreras. Attends un peu, n'écoute pas ce que te dicte ton cœur mais plutôt ce que te dicte la raison ; essaie de prendre du recul.

Toutes les femmes semblaient me donner le même conseil. Je commençais à croire que l'amour était un piège que les hommes tendaient à celles qui ne se méfiaient pas. Ils racontaient ce que nous désirions entendre, ils promettaient monts et merveilles, ils nous emplissaient la tête de rêves puis, une fois satisfaits, ils nous quittaient pour prendre dans leurs filets une autre proie innocente.

Tante Clara elle-même, qui avait pourtant épousé son amour de jeunesse, avait fini par découvrir qu'elle s'était fait berner. Oncle Reuben dirigeait sa maison comme un tyran, après avoir fait de sa femme une parfaite ménagère au lieu de la mettre sur un piédestal comme il le lui avait assurément promis. Et elle, docile, s'était au fil des jours pliée à ses désirs, se laissant peu à peu emprisonner dans un labyrinthe infernal.

Notre repas achevé, elle me conduisit au collège. L'établissement me parut plus petit et plus calme que celui d'où je venais. Le proviseur, Mr Moore, un homme corpulent d'une quarantaine d'années, au cou enfoncé dans les épaules, nous introduisit dans son bureau. Il écouta tante Clara lui expliquer les faits puis fit venir Martha, sa secrétaire, à qui il donna rapidement quelques ordres.

– Appelez son école précédente et demandez à

parler au conseiller d'éducation. Faites-nous envoyer son dossier au plus vite.

Je ne manquai pas d'être impressionnée par son attitude d'homme responsable et efficace.

— Vous savez sans doute, poursuivit-il à l'adresse de ma tante, que nous devrons attendre les instructions du service de protection de l'enfance quant à son statut. Vous et votre mari allez devenir ses tuteurs légaux, bien sûr.

— Bien sûr... répéta-t-elle.

— Tout ira bien, conclut-il alors en se tournant vers moi. Je sais que ce n'est pas facile pour vous, mademoiselle, mais vous vous rendez compte, j'espère, qu'il en sera de même pour vos *nouveaux* professeurs à qui il incombera de vous mettre au niveau de la classe. Les sujets des cours sont peut-être les mêmes mais chacun a ses propres méthodes et il y aura forcément des différences entre l'enseignement de notre collège et celui que vous receviez. Certains professeurs avancent plus vite que d'autres, c'est inévitable.

— Je sais, répondis-je poliment.

Il acquiesça, et son regard sombre et grave s'attarda un long moment sur moi. Puis il sourit.

— D'un autre côté, vous avez une cousine inscrite dans notre collège. Sa présence ici devrait vous être d'un grand secours. Votre fille a un an de plus que Rebecca, n'est-ce pas, madame ?

– Oui, c'est cela.

– L'écart n'est pas très important. Vous aurez des intérêts en commun, j'en suis sûr. Elle pourra vous mettre au courant des règles de notre établissement. Observez-les bien et nous nous entendrons parfaitement.

Sans un mot, je hochai la tête.

Mr Moore suggéra que je commence immédiatement.

– Inutile de perdre davantage de temps, dit-il à ma tante. Rebecca va suivre les cours de mathématiques et d'histoire. Elle pourra au moins recevoir les manuels de ces matières et se familiariser avec ceux-ci.

– C'est une bonne idée, déclara tante Clara avec une satisfaction manifeste.

Un assistant de Mr Moore m'emmena donc au cours de maths et me présenta à Mr Finnerman, qui me remit un livre d'exercices et me fit asseoir à l'extrémité du premier rang. Tout le monde me regarda, observant jusqu'au moindre de mes gestes. Je me rappelai alors quel intérêt j'éprouvais moi-même chaque fois qu'un nouvel élève se présentait dans la classe, et je compris qu'ils étaient tout aussi curieux à mon égard.

Une fille, une Noire qui me déclara s'appeler Terri Johnson, m'indiqua où se trouvait la classe d'histoire et en profita pour me présenter à quelques autres élèves. Devant eux, elle m'appela « la nouvelle ». Comme nous approchions de la salle, je vis Jennifer venir à notre rencontre en compagnie de deux amies. Dès qu'elle m'aperçut, elle murmura :

– C'est elle.

Sans daigner s'arrêter, sans même me saluer, elle passa devant moi et continua son chemin.

Ce fut pire encore lorsque le cours d'histoire s'acheva et que je dus me débrouiller pour ne pas me tromper de bus. Jennifer ne prit même pas la peine de m'attendre ni de me donner la moindre explication et, lorsque enfin je grimpai dans le véhicule, je la découvris déjà assise dans le fond avec ses deux camarades. Bien entendu, elle fit mine de ne pas m'avoir vue monter.

Je m'installai donc à l'avant et me mis à bavarder avec un garçon aux cheveux bruns, plutôt maigrichon, du nom de Clarence Dunsen. Il était affligé d'un bégaiement assez accentué, qui le rendait non seulement timide mais aussi très méfiant. Dès qu'il m'adressait la parole, il attendait de voir si j'allais me moquer de lui. À plusieurs reprises, d'ailleurs, il se retourna vers Jennifer dont le rire bruyant couvrait celui des autres.

« Maman, songeai-je alors, je t'en supplie, fais quelque chose. Passe à travers les murs, sors de prison et ramène-moi à la maison. Emmène-moi où tu veux mais éloigne-moi d'ici au plus vite... »

– J'ai des nouvelles, m'annonça tante Clara dès que Jennifer et moi fûmes de retour à la maison.

– Quoi ? m'écriai-je en tenant mes livres serrés contre la poitrine.

– Ta mère ne va pas aller en prison.

– Dieu merci !

J'allais ajouter : « Me voilà débarrassée de toi, Jennifer, la Gâtée Pourrie », quand je m'aperçus que ma tante ne souriait pas du tout.

– Qu'est-ce qu'il y a, tante Clara ?

– Elle doit suivre une cure de désintoxication. Cela peut durer assez longtemps, Rebecca. Et elle ne sera autorisée à te téléphoner que lorsque son thérapeute aura donné son accord.

– Oh... murmurai-je en me laissant tomber dans un fauteuil.

– Rebecca, c'est mieux que la prison, tu sais, me dit-elle dans l'espoir de me rassurer.

– De mieux en mieux ! s'exclama Jennifer en abaissant sur moi un regard haineux. Voilà que ma tante est en désintoxe, maintenant ! Tu as intérêt à raconter ce que je t'ai dit et à prétendre que ta mère est morte.

Je me contentai de la regarder d'un air impuissant.

– Ne parle pas ainsi, Jennifer, lui reprocha tante Clara. Tu sais que, ce matin, ta cousine m'a aidée à nettoyer ta chambre ? Essaie de la garder dans cet état, maintenant.

— Et alors ? C'est normal qu'elle fasse le ménage ici. Tu as entendu ce que papa a dit. Elle vit à nos crochets, si j'ai bien compris.

— Jennifer ! s'exclama sa mère. Fais un peu preuve de charité chrétienne et d'amour.

— D'amour ? Je ne l'aime pas. Ça m'a déjà été assez pénible d'expliquer aux copines qui elle était et d'où elle venait. Elles voulaient toutes savoir pourquoi Rebecca a la peau si brune. J'ai dû leur révéler les origines de son père, tu te rends compte ?

— Jennifer...

— Tu n'es pas mieux que moi parce que tu as la peau plus claire, me révoltai-je soudain.

— Mais non... me rassura tante Clara. Jennifer, voyons, quand m'as-tu entendue tenir de tels propos ?

— Ce n'est pas juste, maman ! Toutes mes amies me posent des questions sur ma famille, maintenant. Ce n'est pas juste... !

— Arrête, je ne veux plus t'entendre parler ainsi ! Si tu continues, je le dis à ton père.

— Oh, dis-lui si tu veux.

Avec un sourire de défi, elle tourna les talons et monta l'escalier vers sa chambre.

— Je ne sais pas d'où lui vient cette méchanceté, murmura tante Clara dès qu'elle se fut éloignée.

Je la regardai avec étonnement. Était-elle aveugle à ce point ou se cachait-elle délibérément la tête dans le sable ? Il était pourtant facile de voir que Jennifer avait hérité sa méchanceté de son père.

– Je suis désolée, ajouta ma tante. Ne fais pas attention à ce qu'elle dit, je t'en prie.

– Ne vous en faites pas, tante Clara. Je me débrouillerai avec ou sans l'amitié de Jennifer.

À cet instant, la porte d'entrée s'ouvrit puis se referma doucement et, l'instant d'après, William apparut dans le salon. Il posa sur moi un regard timide.

– Comment s'est passée ta journée ? lui demanda sa mère.

Fouillant dans son sac de toile, il en sortit un cahier qu'il feuilleta fébrilement avant d'exhiber un devoir de vocabulaire noté 9 sur 10.

– William, c'est magnifique ! Regarde, Rebecca.

– Bravo, William, le félicitai-je. Je sens que je viendrai te voir dès que j'aurai une leçon de vocabulaire. Tu me feras réciter.

L'air reconnaissant, il s'empressa cependant de récupérer son devoir qu'il glissa rapidement dans son cahier.

– William, veux-tu du lait et des cookies ? proposa tante Clara.

Secouant la tête, il me gratifia du sourire le plus

bref qu'il put esquisser puis disparut dans l'escalier en direction de sa chambre.

– Il paraît tellement timide, m'étonnai-je devant ma tante. Je ne m'en étais jamais rendu compte. Il n'a pas d'amis avec qui s'amuser après l'école ?

– Non. Il est beaucoup trop replié sur lui-même, je sais. Le psychologue de l'école m'a téléphoné un jour pour que nous en discutions. Son professeur le trouve trop introverti ; il dit qu'en classe il ne lève jamais le doigt et qu'il ne s'adresse que très rarement aux autres élèves. Tu l'as vu : on dirait une tortue prête à rentrer sous sa carapace. Je ne sais vraiment pas pourquoi il est ainsi...

Elle baissa alors la tête et je vis des larmes naître au coin de ses yeux. J'éprouvai alors la brusque envie de lui passer un bras autour du cou.

– Il s'en sortira en grandissant, me contentai-je de dire.

Mais ces paroles de réconfort ne lui extorquèrent pas le moindre sourire.

– Il y a quelque chose qui ne va pas, je sais, mais j'ignore quoi. Je l'ai emmené voir un médecin : il est en pleine santé, il n'attrape jamais de rhume, et pourtant...

Elle n'acheva pas sa phrase. Puis elle leva vers moi son visage humide de larmes et me demanda :

– Pourquoi un garçon en arrive-t-il à se conduire ainsi ?

Je ne le savais pas encore...

Mais je ne tarderais pas à l'apprendre.

Il me resterait alors à trouver les mots pour le dire à tante Clara.

3

Marionnette ou Cendrillon

– En désintoxication... maugréa oncle Reuben tout en mâchant un morceau de filet de bœuf.

Chaque fois que maman et moi avions droit à de la viande, il s'agissait en général d'un reste de ragoût rapporté de *Charlie Boy*. Oncle Reuben ne semblait pas connaître sa chance...

– C'est gaspiller l'argent du gouvernement, continua-t-il, la bouche pleine.

Ses dents avaient l'air de broyer autant ses paroles amères que le contenu de son assiette.

– Ce n'est pas du gaspillage, si cela doit l'aider, protesta faiblement tante Clara.

– L'aider ? Rien ne peut l'aider. Son cas est désespéré. Le mieux à faire maintenant serait de l'enfermer et de balancer la clé dans le fleuve le plus proche.

Jennifer partit d'un petit rire cruel. Je levai aussitôt les yeux et la fixai durement.

– Arrête de me regarder comme ça, se plaignit-elle. Ce n'est pas poli de dévisager les gens, n'est-ce pas, papa ?

Oncle Reuben tourna la tête vers moi et acquiesça.

– Non, ce n'est pas poli. Mais on ne le lui a pas appris, à elle.

Jennifer eut un nouvel éclat de rire qui me souleva le cœur. J'eus l'impression d'avaler des bouts de carton qui restaient collés au fond de ma gorge. Je m'arrêtai de manger et me levai.

– Excusez-moi... murmurai-je.

– Je n'accepte aucune excuse, coupa net oncle Reuben. Tu me finis ça d'abord. On ne gaspille pas la nourriture, ici.

Plantant sa fourchette dans sa viande, Jennifer se coupa un solide morceau qu'elle se mit à mastiquer avec un sourire satisfait. Avec ses joues rondes remplies de nourriture, elle me fit penser à un hamster vorace.

– C'est délicieux, articula-t-elle en s'empiffrant.

– Ce n'est pas poli de parler la bouche pleine, lui lançai-je aussitôt.

William leva vers moi un regard ravi et Jennifer cessa de mâcher avant de jeter un œil interrogateur du côté de son père. Celui-ci continua de dévorer des fournées de pommes de terre comme s'il avait un record à battre.

– Reuben, intervint alors tante Clara, j'ai préparé ton dessert préféré : une tarte aux noix.

Il acquiesça, comme s'il n'attendait pas moins d'elle. Lui aussi était gâté pourri, songeai-je.

J'ai eu un 16 sur 20 en anglais, aujourd'hui, annonça Jennifer sur un ton triomphant.

– Un 16, vraiment ? C'est très bien, je suis fier de toi.

– J'aurai peut-être le tableau d'honneur ce trimestre si Mr Finnerman me donne une bonne note en maths.

– Tu entends ça, Clara ? Jennifer est vraiment une gentille fille qui fait bien plaisir à son papa.

– Oui, c'est très bien, répliqua ma tante. Et tu sais que William nous a rapporté aujourd'hui un 9 sur 10 en vocabulaire ?

William chercha une approbation dans le regard de son père mais il dut se contenter d'un simple hochement de tête.

– Je vais avoir de la paperasse à remplir pour Rebecca, dit-il enfin après avoir avalé sa dernière bouchée de pommes de terre. Tout s'est bien passé pour son inscription à l'école ?

– Oui, répondit tante Clara. Elle est acceptée.

– Et quel genre de notes as-tu, en général ?

– Bonnes, répliquai-je en détournant vivement la tête.

– Bien sûr... Ta mère t'a déjà demandé comment ça se passait à l'école ?

– Oui, répondis-je sur un ton outré. Elle devait signer mon carnet ; elle voyait tout le temps mes notes.

– Tu n'as jamais imité sa signature ? me demanda Jennifer avec un sourire diabolique.

– Pourquoi ? C'est ce que tu fais, d'habitude ?

– Je n'en ai pas besoin. Mes bonnes notes sont réelles. C'est toujours mon père qui signe mon carnet. N'est-ce pas, papa ?

– Toujours, oui, dit-il avant de se lever. Clara, si Rebecca doit gaspiller comme ça la nourriture, veille à ne pas lui en donner autant. Je travaille dur pour vous nourrir tous, ne l'oublie pas.

Malgré le nœud qui s'était formé dans mon estomac, je me forçai à avaler mon dernier morceau de viande et à finir ce qui me restait de haricots verts.

– Je vais regarder les informations, annonça oncle Reuben en partant vers le salon. Appelez-moi quand la tarte et le café seront prêts.

Mes yeux le suivirent et, dès qu'il eut disparu, je

me tournai vers William qui me regardait avec ce que je pris pour de la sympathie. Je lui souris en retour et son visage s'illumina.

– Je vais faire mes devoirs, maman, déclara alors Jennifer en quittant la table.

Puis elle ajouta en me montrant du menton :

– Je suppose que tu n'as pas besoin de moi pour débarrasser et faire la vaisselle, maintenant qu'elle est là.

– Ça ne t'empêche pas d'aider, Jennifer, lui rétorqua sa mère.

– Je ne peux pas. Tu as entendu ce que papa a dit. Il veut que j'aie le tableau d'honneur. Tu ne préfères pas que je finisse mes devoirs ?

– Si, bien sûr.

– O.K., je file, alors, s'empressa-t-elle de répondre. Je descendrai un peu plus tard pour avaler ma part de tarte.

Lorsqu'elle eut quitté la cuisine, tante Clara secoua tristement la tête.

– Je vais vous aider, proposa William en commençant à nettoyer la table avec moi.

La vaisselle achevée, il me demanda :

– Tu veux voir la petite maison que j'ai construite pour les oiseaux ?

Ce qui arracha un sourire à sa mère, heureuse de constater que William sortait de sa coquille et se déridait un peu.

– Oh, oui !

– Elle est là-haut. Je l'ai fabriquée tout seul, tu sais.

Je le suivis dans sa chambre. Sans attendre, il se dirigea vers une étagère où il avait rangé la maisonnette. Celle-ci avait une forme triangulaire et chaque pan du toit portait un épi de mais séché.

– Je les ai collés, tu vois, m'expliqua-t-il en montrant comment les épis tenaient à la paroi.

– Elle est superbe, William. Tu as dû avoir du mal à la fabriquer. Combien de temps ça t'a pris ?

– Quelques jours, répondit-il avec fierté. Dès que j'aurai pu mettre assez d'argent de côté, je m'achèterai des jumelles pour observer les oiseaux qui viendront grignoter. Tu t'y connais en oiseaux ?

– Non, pas du tout.

– Attends, j'ai une encyclopédie, dit-il en ouvrant un épais volume relié. Regarde, il y a de très belles photos et on raconte tout sur leur habitat, leur mode de vie, leur nourriture, etc.

Il me montra ensuite un autre livre dans lequel on expliquait en détail la façon de construire différentes maisons pour les oiseaux.

– Voilà celle que j'ai l'intention de fabriquer, la prochaine fois. Tu vois, elle a deux étages. Elle est belle, non ?

– Magnifique ! Tu sauras la construire ?

– Bien sûr. Je te préviendrai dès que j'aurai reçu

le matériel et tu pourras me regarder faire, si tu veux.

– Merci, murmurai-je, touchée par sa simplicité et sa gentillesse.

Il me répondit par un sourire radieux qui lui illumina le visage.

– Je devrais peut-être aller faire mes devoirs, maintenant, déclarai-je à contrecœur.

En passant devant la porte entrouverte de sa chambre, j'aperçus Jennifer couchée à plat ventre sur la moquette, en train de discuter au téléphone. Malgré moi, je m'arrêtai sur le seuil.

– Qu'est-ce que tu fais ? Tu m'espionnes ? me lança-t-elle avec agressivité.

– Oh, non ! Mais je croyais que tu étais montée faire tes devoirs. On dirait que tu es plutôt en train de prendre un cours de bavardage.

La plantant là, je redescendis l'escalier, le cœur battant. Au milieu des marches, j'entendis claquer une porte rageuse.

L'atelier de couture se trouvant tout près de la salle à manger, je surpris une conversation entre tante Clara et oncle Reuben qui prenait son café et sa tarte aux noix.

– Pas question de débourser des sommes folles pour l'habiller, disait-il de toute évidence à mon propos. Je vais voir si on peut profiter d'une aide de l'État. Je suppose que lorsqu'on prend un enfant à sa charge on a droit à ce genre d'allocation.

– Il lui faut tout de même un minimum, Reuben, lui répliqua doucement tante Clara. On devrait aller voir s'il reste quelque chose dans l'appartement.

– À quoi bon ? Le mieux est de le faire désinfecter.

– Mais on ne peut pas la laisser ainsi. Elle n'a presque rien à se mettre.

– D'accord, d'accord, achète-lui deux ou trois choses. Mais je ne veux pas que tu dépenses trop d'argent pour elle, Clara. Nous avons déjà Jennifer qui a besoin, elle aussi, de nouveaux vêtements. Tu as vu à quelle vitesse elle grandit ?

– Peut-être pourrait-elle prêter quelques affaires à Rebecca...

– Dans ce cas, maugréa-t-il, assure-toi qu'elle s'est lavée avant d'enfiler les habits de Jennifer.

– Oh, elle est propre, Reuben. C'est une jeune fille très bien, tu sais, même si elle a vécu avec ta sœur.

– On verra, reprit-il sans conviction.

Je l'entendis se lever puis ajouter :

– Demande-lui de tout ranger ici avant d'aller se coucher. Je veux qu'elle se rende compte de tout ce dont elle profite en étant logée chez nous.

– Elle s'en rend compte, j'en suis certaine.

Oncle Reuben ne répondit pas. Tendant l'oreille,

je devinai alors qu'il regagnait le salon et rallumait la télévision. Discrètement, je rejoignis tante Clara pour l'aider à ranger.

– Tu n'as pas à faire ça, Rebecca, soupira-t-elle. Je vais m'en occuper. Va terminer tes devoirs.

– On ne m'a pratiquement rien donné à faire, tante Clara. La semaine prochaine, je vais devoir rester un moment après les cours avec chaque professeur, pour rattraper les autres élèves. Est-ce qu'on saura bientôt quand maman pourra m'appeler ?

– Je ne sais pas, ma petite. Je crois que Reuben en saura davantage demain.

– Il aurait dû manifester un peu plus d'enthousiasme devant le résultat de William en vocabulaire, murmurai-je malgré moi. Et puis, un 16 sur 20, ce n'est pas une excellente note...

Contrairement à l'expression de crainte à laquelle je m'attendais, tante Clara tourna vers moi un regard d'acquiescement prudent.

– Je sais. Je lui demande souvent de consacrer un peu plus de temps à William.

– Je ne sais pas si ça l'aiderait beaucoup, marmonnai-je en partie pour moi-même.

Soudain, tante Clara se figea comme si elle venait de voir un fantôme.

Oncle Reuben nous observait du pas de la porte.

– C'est à elle de faire ça, Clara, lui lança-t-il en

me fusillant de ses yeux perçants. Viens te reposer au salon.

– Il n'y a plus rien à faire, Reuben. Nous avons fini...

Il continua de me regarder avec insistance. M'avait-il entendue ?

– J'arrive tout de suite, Reuben, dit doucement ma tante.

Elle s'essuya les mains et sortit de la cuisine. Il la laissa passer, me dévisagea de nouveau d'un air dur, puis la suivit au salon.

Quelques heures m'avaient suffi pour constater qu'oncle Reuben faisait marcher sa famille à la baguette ; et cela, d'un seul regard, d'un seul mot, d'un seul geste. Comme s'il manipulait des marionnettes et les faisait sautiller en tirant sur une de leurs ficelles. J'éprouvais l'horrible impression qu'il me ligotait lentement les poignets et les chevilles et que, bientôt, moi aussi, je deviendrais une de ses marionnettes.

Mes devoirs terminés, j'ouvris mon lit et me déshabillai pour enfiler la seule chemise de nuit que je possédais. Puis, une fois allongée, je contemplai les étoiles qui perçaient de temps à autre derrière les nuages. J'imaginai que j'étais devenue Cendrillon ; une Cendrillon sans sa pantoufle de vair et sans sa marraine la fée. Et, avec tristesse, je songeai que ma vie ne serait ni magique ni féerique.

À une époque, dans mon enfance, je rêvais beaucoup de pays lointains, de maisons merveilleuses, de beaux jeunes gens, de bals enivrants, de somptueuses tenues de soirée et de bijoux magnifiques. Je me faisais mon cinéma, dont je m'amusais à coller les images sur les murs de mon imagination. Ces rêves, tout impossibles qu'ils soient, m'aidaient à m'évader de notre petit appartement.

Quelle ironie !

Je venais de changer de vie, je me retrouvais au sein d'une vraie famille, j'étais inscrite dans une école sérieuse, et de quoi rêvais-je ?

De revenir dans ce petit appartement... !

Ma nouvelle école me plut très vite. Ma classe étant la moins chargée de toutes, les professeurs pouvaient passer plus de temps avec moi et je commençais à me faire quelques amis.

Jennifer continua de m'ignorer le plus souvent possible mais, cela aussi, je finis par l'accepter. Ses amies me paraissant tout aussi égoïstes, orgueilleuses et sournoises qu'elle, son attitude ne m'étonnait guère et bientôt je n'y prêtai plus attention. Il y avait autour de moi d'autres personnes plus intéressantes à fréquenter.

Loin d'être la « bonne petite fille » que son père voyait en elle, Jennifer ne se privait pas de fumer en cachette avec ses copines. Et je m'étais même laissé dire qu'elle n'hésitait pas à tricher en classe.

Je constatai également qu'elle n'était pas franchement aimée de ses professeurs. Terri Johnson me raconta un jour que Jennifer et ses amis s'amusaient à voler dans les magasins, histoire de se donner le grand frisson.

N'avait-elle pas des parents attentionnés, une maison accueillante et tout le confort matériel que l'on pouvait désirer ? Finalement, elle n'était pas mieux que les filles que j'avais connues, toutes issues de foyers éclatés et vivant dans des endroits quasi misérables. Souvent, je me demandais ce que ferait oncle Reuben s'il découvrait le véritable comportement de sa précieuse petite Jennifer.

Un jour, à la cafétéria, elle s'arrêta devant ma table avec deux de ses amies. Je cessai de parler et levai les yeux.

– Tu es en retard dans ta lessive, déclara-t-elle d'une voix sèche. Il me faut mon chemisier bleu et blanc demain matin. Arrange-toi pour qu'il soit prêt.

Stupéfaite, je demeurai un instant muette avant de rétorquer d'un ton cassant :

– Lave-le toi-même !

– Dis donc, c'est comme ça que tu paies ta pension chez nous. Tu as l'air de l'oublier.

– Et toi ? Qu'est-ce que tu fais chez toi ?

– Je n'ai pas besoin de faire quoi que ce soit.

J'ai mes parents. Alors, débrouille-toi pour que mon chemisier soit prêt demain, sinon je le dis à papa.

Sur cette menace, elle partit d'un rire méchant puis, ravie de son effet, s'éloigna avec ses amies.

Très gênée, Terri garda la tête baissée sans oser me regarder.

C'est une sale peste trop gâtée, dit-elle enfin. J'aurais bien renchéri cent fois mais je fus incapable d'articuler le moindre mot. J'avais la gorge affreusement serrée et un flot de larmes s'accumulait sous mes paupières.

– Je préférerais vivre avec un serpent plutôt qu'avec elle, ajouta Terri, ce qui déclencha un rire général autour de la table.

– Eh bien, c'est précisément ce que je fais, articulai-je enfin. Je vis avec un serpent.

En rentrant de l'école, ce jour-là, je trouvai son précieux chemisier bleu et blanc dans le panier à linge. Je le saisis avec rage mais, avant de le mettre dans la machine, j'y fis un trou au niveau de l'épaule avec la pointe de mon compas. Après le dîner, j'aidai tante Clara à repasser et à plier les vêtements propres et secs. Sans remarquer le trou dans le tissu, elle prit la pile destinée à Jennifer et la monta dans sa chambre.

Ce ne fut que le lendemain qu'un cri perçant résonna dans la maison. J'étais déjà levée et habillée. Tante Clara se trouvait avec moi dans la cuisine et nous préparions ensemble le petit déjeuner.

– Mon Dieu... ! lâcha-t-elle avant de se précipiter au bas de l'escalier.

En jupe et en soutien-gorge, Jennifer se tenait sur le palier, le chemisier à la main.

– Regarde un peu ça, maman ! Regarde !

– Qu'est-ce qui se passe, ici ? demanda oncle Reuben en sortant de sa chambre, la chemise déboutonnée sur son torse nu.

– Il y a un trou dans mon chemisier préféré, voilà ! Et c'est elle qui l'a fait ! C'est Rebecca qui me l'a déchiré, papa !

Jennifer lui tendit le vêtement. Son père le regarda puis tourna les yeux vers moi, plantée aux côtés de ma tante, au pied de l'escalier.

– C'est toi qui as fait ça ?

– Je ne l'ai même pas vu, répondis-je en secouant la tête. Sinon, je l'aurais dit à tante Clara.

– Pourquoi Rebecca aurait-elle fait une chose pareille ? demanda alors celle-ci.

– Parce qu'elle est jalouse ! hurla Jennifer.

– Je ne peux pas être jalouse, je n'aime pas ce chemisier. Il est démodé. C'étaient nos grand-mères qui portaient ça.

– Ce n'est pas vrai ! Tout le monde en a ! Tu ne connais rien à la mode !

– S'il te plaît, Jennifer, intervint tante Clara, arrête de crier.

William émergea à son tour et nous regarda les uns après les autres d'un air plus que surpris. Sans me démonter, je lui adressai un sourire auquel il répondit sans hésiter.

– Si c'est toi qui as fait ce trou... commença oncle Reuben avant d'examiner l'objet du litige d'un air perplexe. Si ce n'est pas toi, je me demande bien comment c'est arrivé.

– Ça peut être un insecte, hasardai-je non sans effronterie.

Il me fusilla du regard.

– Il n'y a pas d'insectes, ici. Ou, du moins, il n'y en avait pas avant que tu viennes. Clara, qu'est-ce que tu comptes faire ?

– Oh, je lui en achèterai un autre aujourd'hui, Reuben.

– J'espère que ça ne se reproduira pas, laissa-t-il tomber avant de rendre le chemisier à sa fille.

Puis il rentra dans sa chambre pour finir de s'habiller. Tandis que tante Clara retournait à la cuisine, Jennifer me jeta un regard noir.

– Tu vas le regretter, je te le promets. Je vais le porter quand même et tout le monde saura ce que tu as fait.

– Comme tu voudras. On va juste se moquer un peu plus de toi, c'est tout.

Je fis alors un clin d'œil à William qui me renvoya un sourire ravi.

– Qu'est-ce qui te fait rire, toi ? lui cracha Jennifer avant de s'enfermer dans sa chambre en claquant la porte.

Pour la première fois depuis longtemps, je me sentis ce matin-là un appétit d'ogre et j'avalai un énorme petit déjeuner. Oncle Reuben lui-même fut étonné de voir qu'il ne restait pas une miette dans mon assiette.

4

De justesse...

En montant dans le bus, ce jeudi, j'avais les bras, chargés de bouquins et de documentation. Jennifer devait faire un exposé de géographie qu'elle désirait présenter avec un support visuel ; elle avait de bonnes raisons pour cela : une de ses amies, Paula Gordon, très douée en dessin et en art plastique, avait en fait réalisé la plus grande partie du projet. Jennifer prétendit donc qu'elle s'était débrouillée toute seule et, lorsqu'elle le montra à son père, ce jeudi matin, il s'extasia devant son travail comme devant un Rembrandt ou un Van Gogh. Et, pour ne rien changer aux habitudes, ma cousine accueillit le compliment de son père avec une satisfaction non feinte.

Personnellement, je pensais que les maisons d'oiseaux fabriquées par William valaient cent fois ce « chef-d'œuvre ». Pourtant, jamais je n'avais entendu oncle Reuben l'en féliciter ni même en parler.

Au moment de partir pour le collège, Jennifer se montra très inquiète à l'idée que son précieux ouvrage puisse être abîmé en chemin. J'eus donc la surprise, ce matin-là, de la trouver en train de m'attendre devant la porte d'entrée. D'une voix mielleuse, elle eut le toupet de me demander une faveur, non sans s'être assurée auparavant de la présence d'oncle Reuben.

– Rebecca, tu sais comme les gamins chahutent dans le bus, et il faut absolument que mon projet arrive entier à l'école. Est-ce que tu pourrais, s'il te plaît, me porter mes livres, mes cahiers et mon sac de déjeuner ? Je t'en supplie... Un jour, je te rendrai la pareille, je te le promets.

Avais-je le choix ? Je me sentis bien sûr obligée

d'accepter et marchai derrière elle comme une esclave, les bras chargés non seulement de son barda mais aussi du mien. Elle parada ainsi dans la rue et jusque dans le bus, brandissant son chef-d'œuvre le plus haut possible pour que tous puissent l'admirer.

– Quelqu'un fait une petite place pour Rebecca, aussi ? demanda-t-elle d'une voix forte. Elle porte mes affaires.

C'était inutile puisque je m'asseyais toujours à côté de Clarence Dunsen. Mais Jennifer voulait simplement que le monde entier me prenne pour sa servante.

Lorsque nous arrivâmes à l'école, je m'étonnai qu'elle ne me débarrasse que des livres et des cahiers dont elle avait besoin pour ses cours du matin.

– Tu m'apporteras le reste à l'heure du déjeuner. Il faut que je trimbale ce truc jusqu'au cours de géo, expliqua-t-elle devant ses amies qui me regardèrent avec un petit sourire en coin.

– Pourquoi est-ce que tu ne le portes pas tout de suite dans la salle de géo ? lui demandai-je sans comprendre.

– Pour risquer de me le faire saboter par le premier jaloux qui passe ? Tu veux rire ! Vous vous souvenez de ce qui est arrivé à la cage à fourmis de Robert Longo, en cours de bio ?

– Oui, se rappela l'une de ses copines. Quelqu'un a versé de l'eau dedans et toutes les fourmis ont été noyées.

– Qui oserait faire une chose pareille ? murmurai-je pour moi-même.

– Merci, Rebecca, dit Jennifer en s'empressant de filer.

Je me vis donc obligée de garder ses affaires en plus des miennes durant la matinée entière.

– Comment se fait-il que tu aies deux sacs de déjeuner, aujourd'hui ? me demanda Terri Johnson en plein cours d'anglais.

Comme je lui racontais l'histoire de l'exposé, elle leva des sourcils étonnés qui lui plissèrent exagérément le front.

– Tu sais, repris-je en haussant les épaules, elle se donne en spectacle, comme d'habitude.

Terri ne semblait pas convaincue.

– Elle aurait pu demander à une de ses esclaves de faire le boulot. Elles auraient été ravies ; elles sont à plat ventre devant ta cousine. Je ne sais pas ce qu'elle a en tête mais, comme le disait ma grand-mère, « un serpent ne peut pas se muer en lapin ».

Sur le moment, la remarque me fit rire mais, plus tard, j'y repensai. Et, juste avant la fin du dernier cours, je jetai un coup d'œil dans ce que je croyais être le sac de déjeuner de Jennifer. Première surprise : mon nom était écrit dessus. Pourquoi cela ? C'était incompréhensible...

J'ouvris donc ce qui était censé contenir son déjeuner. Nous avions d'habitude la même chose ; je le savais parce que j'aidais régulièrement tante Clara à préparer nos collations. Seconde surprise : en plus des sandwiches, il contenait un petit paquet tout en longueur, emballé dans du papier sulfurisé. Levant un instant les yeux pour m'assurer que Mrs Broadhurst ne regardait pas dans ma direction, je le déballai à la hâte.

Un frisson glacé me parcourut. J'avais déjà vu cela auparavant ; je savais ce qu'était un joint, j'en avais senti l'odeur à plusieurs reprises dans notre vieil appartement. Lila Thomas avait même essayé de m'en faire fumer, un jour chez elle.

Je regardai Terri. À l'expression de mon visage, elle comprit qu'il se passait quelque chose d'anormal. Baissant la main sur le côté, j'ouvris lentement la paume. Terri hocha la tête d'un air entendu. Cinq minutes avant la fin du cours, la raison pour laquelle Jennifer avait voulu que je porte ses affaires se révéla enfin dans toute sa clarté.

– Excusez-moi, Mrs Broadhurst, lança soudain un assistant apparu dans l'entrebâillement de la porte, Mr Moore désire voir Rebecca Flores immédiatement dans son bureau. Elle doit emporter toutes ses affaires avec elle.

D'un sourire, je rassurai Terri qui semblait très inquiète et me levai.

Emportant mes affaires et celles de Jennifer, je suivis l'assistant d'un air serein. Dès la porte franchie, je fourrai discrètement dans mon soutien-gorge le joint emballé dans son papier sulfurisé. Combien avais-je vu d'élèves faire la même chose, dans mon ancienne école... ? Personne n'irait regarder là. Fouiller un élève était considéré comme un acte très grave. Les professeurs de sexe masculin répugnaient à l'idée de faire ce genre de chose, et les filles le savaient.

Mr Moore m'attendait assis derrière son bureau. Après avoir fait signe à son assistant de sortir, il m'ordonna de prendre place sur le fauteuil qui lui faisait face puis il se leva, fit le tour de la table et s'approcha de moi.

– J'ai pour habitude de gérer les problèmes avec les élèves dans l'enceinte même du collège, annonça-t-il en me jetant de rapides coups d'œil pour guetter ma réaction. Cela ne veut pas dire pour autant que je ne raconte pas aux parents ce qui se passe. J'ai l'obligation de le faire mais le reste du monde n'a pas à mettre le nez dans notre linge sale.

– Pourquoi m'avez-vous fait venir ? demandai-je avec impatience.

Mon aplomb lui fit hausser les sourcils de surprise.

– Je sais que votre éducation et votre vie familiale n'ont pas été des plus brillantes, ce qui peut expliquer une mauvaise attitude à l'école comme ailleurs. Mais vous êtes à un âge, mademoiselle, où l'on vous tient responsable de vos actes, soyez-en bien certaine.

Je détournai le regard pour le fixer sur un des tableaux qui ornaient les murs de la pièce.

– Si votre sac de déjeuner contient quelque chose d'interdit, poursuivit-il, je vous demanderai de le déposer sur mon bureau et de retourner dans votre classe. Plus tard, nous en discuterons et, croyez-moi, c'est une énorme faveur que je vous fais.

Le cœur battant à tout rompre, je ne pus m'empêcher de sourire. Je me penchai alors vers la table, ouvris le sac et en ôtai tranquillement le sandwich et le cookie qu'il contenait. Puis je le retournai pour lui montrer qu'il était bien vide et le posai près de mon déjeuner.

Un long silence suivit, qu'il interrompit enfin :

– Et l'autre sac ?

– C'est celui de ma cousine, même s'il y a mon nom dessus. Je l'ai aidée à porter ses affaires parce qu'elle présentait un exposé en histoire et qu'elle avait les bras chargés de...

– Pourquoi votre nom se trouve-t-il sur ce paquet s'il lui appartient ?

– Nous avons chacune le même repas et il nous

arrive d'échanger nos sacs sans même y faire attention.

Ce disant, j'ôtai le sandwich et le cookie du sac de Jennifer avant de le retourner sur la table. Puis j'attendis.

Les yeux de Mr Moore se posèrent sur l'innocent déballage, sur mes livres et enfin sur moi.

– Puis-je au moins savoir ce que vous cherchez ? osai-je demander.

– Ne vous occupez pas de cela. Rangez tout.

Lentement, je m'exécutai.

– Je trouve injuste d'avoir été mise dans une telle situation sans raison, déclarai-je sans relever la tête. C'est très humiliant de se faire appeler chez le proviseur au beau milieu d'un cours.

Piqué au vif, Mr Moore se redressa vivement.

– J'ai une très importante responsabilité, ici, riposta-t-il sur un ton sentencieux. Beaucoup de jeunes vies dépendent de moi.

Se tournant vers sa table, il saisit un épais classeur qu'il me brandit au visage avant d'ajouter :

– D'autre part, j'ai lu le dossier que m'a fourni votre ancienne école. Eh bien, je peux vous assurer que, si vous aviez agi dans notre collège comme vous l'avez fait là-bas, c'est devant le tribunal que je vous aurais traînée. Je ne suis guère surpris d'apprendre que votre mère a échoué en prison.

– Je n'ai rien fait de mal ! m'exclamai-je.

– C'est ce qu'on verra.

– Qui vous a dit que j'avais fait quelque chose de mal ?

– Ça ne vous regarde pas. Maintenant, retournez en classe.

Refermant vivement mon dossier, il ajouta

– Et, souvenez-vous, je garderai toujours un œil sur vous.

Je me levai sans attendre et quittai son bureau. La cloche ayant sonné, l'assistant dut me donner un mot de retard. Et, quand je rejoignis le cours suivant, Terri me jeta un regard plus qu'impatient. Je hochai la tête et lui souris pour lui faire savoir que tout allait bien. Dès la fin de l'heure, je lui racontai ce qui s'était passé dans le bureau de Mr Moore.

– Jennifer a essayé de me piéger. Elle a monté ça de toutes pièces pour m'attirer les pires ennuis.

– Ça ne m'étonne pas, c'est la spécialité de Jennifer et de ses copines. Avec elle, je te conseille de surveiller tes arrières.

– Oh, c'est ce que je fais. Mais elle s'apercevra bientôt qu'elle a tout intérêt à en faire autant.

À midi pile, ma chère cousine, toujours flanquée de ses satellites, s'approcha de la table où nous venions de nous installer.

– Je viens récupérer mon sac de déjeuner, dit-elle sèchement.

– Je ne sais pas lequel est le tien. Mon nom est

inscrit sur les deux mais ce n'est pas grave puisque, de toute façon, on a la même chose à manger.

Comme je le lui tendais, elle regarda un instant ses amies puis ses yeux revinrent se poser sur moi.

– Il paraît que tu as été appelée chez le proviseur, déclara-t-elle avec un sourire en coin. Qu'est-ce qu'il te voulait ? J'espère que tu ne vas pas créer des ennuis à mes parents.

– Non, non, ne t'inquiète pas... lui dis-je d'un air tranquille avant de boire à la paille une gorgée de lait. Il voulait juste savoir ce que nous avions pour le repas. Le bruit court que nos cookies sont les meilleurs du collège.

Ses amies ne purent s'empêcher de rire, ce qui la mit en rage. Son visage devint cramoisi au point que je crus un moment que le sang allait lui jaillir des oreilles comme un geyser. Enfin, contenant mal sa fureur, elle fit volte-face et s'éloigna.

Terri et les filles qui se trouvaient à notre table partirent alors d'un tel éclat de rire que tout le monde se retourna vers nous.

– Dis donc, me lança Terri, il n'y aurait pas un petit serpent en toi, aussi ?

– On est bien cousines, non ? Il n'y a rien d'extraordinaire à ce qu'on se ressemble un peu.

De nouveau, un rire général s'éleva de notre table.

Mais Jennifer ne perdait rien pour attendre, je n'avais pas encore dit mon dernier mot.

Un samedi, comme à son habitude, elle sortit faire un tour avec ses amies juste après le déjeuner. Tante Clara essaya bien de la pousser à m'emmener mais elle résista et trouva même le moyen de geindre.

– C'est difficile, elle n'a pas les mêmes amies que moi.

– Qu'est-ce que ça veut dire ? intervint alors oncle Reuben en fixant sur moi un regard menaçant. Qui sont ses amies ?

Jennifer haussa les épaules.

Elle fréquente plutôt des Noires. C'est peut-être à cause de son teint basané...

– Non, rétorquai-je. S'il y a des gens de couleur parmi mes amies, c'est qu'elles sont gentilles et à mille lieues d'être faux jetons.

– Ça veut dire que mes amies à moi sont des faux jetons ?

Avec nonchalance, je répondis :

– Je ne sais pas si c'est parce que je suis nouvelle à l'école mais tout le monde me conseille de me méfier d'elles, c'est tout.

Le visage de Jennifer s'empourpra de colère. Sans lui laisser le temps de cracher son venin, tante Clara intervint à son tour :

79

– Vous devriez bien vous entendre, pourtant. Vous avez pratiquement le même âge.

– Je ne veux pas que Jennifer fréquente des fauteurs de trouble, riposta oncle Reuben.

– Je ne fréquente pas de fauteurs de trouble, insistai-je. C'est précisément le contraire.

– Pourquoi Rebecca ne peut-elle pas sortir avec Jennifer ? insista ma tante d'une voix douce. Cela lui permettrait d'être en compagnie de jeunes de son âge.

– Ça ne fait rien, dis-je. Ce n'est pas grave, je me débrouillerai.

J'ignore encore pourquoi tante Clara voulait tant que je sorte avec Jennifer et ses amies. Elle savait pourtant qu'oncle Reuben serait à la maison, ce samedi, et s'assurerait que je m'acquitte sans faute de toutes les tâches prescrites. Jennifer, qui n'avait pas l'intention de lever le petit doigt pour m'aider, n'aurait de toute façon pas daigné m'attendre pour sortir.

Peu de temps après son départ, tante Clara et moi commençâmes le nettoyage hebdomadaire de la maison. William proposa de passer l'aspirateur mais oncle Reuben le repoussa sans ménagement.

– C'est un travail de femme, grogna-t-il. laisse-les faire et va donc jouer au base-ball ou au foot au lieu de passer l'après-midi enfermé.

Bien entendu, le ton qu'il employa eut un effet

contraire sur mon cousin qui, sans un mot, monta directement dans sa chambre.

Je regardai ma tante en espérant qu'elle défende la cause de William, mais elle s'empressa de détourner les yeux et reprit en silence son travail.

Un peu plus tard, nous montâmes poursuivre le ménage au premier et, comme d'habitude, j'entrepris de ranger le désordre de Jennifer. Maintenant qu'elle savait que la lessive m'incombait, c'était pire que jamais. Des vêtements avaient été éparpillés sur le sol avec une jubilation manifeste ; je trouvai un chemisier pendu à la va-vite sur le coin du miroir, un jean sale fourré sous le lit et des baskets traînant dans la salle de bains. Prise de pitié, tante Clara vint m'aider et je la laissai faire le lit. Elle se figea soudain, les yeux rivés sur ce qu'elle venait de découvrir sous l'oreiller.

– Qu'est-ce que c'est que ça ? interrogea-t-elle d'une voix inquiète.

– Quoi ?

Je me retournai pour la voir remettre l'oreiller en place et prendre maladroitement le joint qu'elle venait de trouver entre ses doigts. Elle le sentit puis me regarda en grimaçant. Je m'approchai pour le renifler à mon tour et levai des yeux écarquillés vers ma tante en secouant lentement la tête.

– C'est bien ce que je crois... ? articula-t-elle.

– Oui, j'en ai bien peur.

– Mon Dieu... Mon Dieu, non ! se lamenta-t-elle, une main plaquée sur le visage. Il faut que je le dise à Reuben.

Elle sortit de la pièce en courant et, un instant plus tard, j'entendis mon oncle grimper l'escalier quatre à quatre.

– Qu'est-ce qui se passe, ici ? s'écria-t-il.

Je sortis de la salle de bains, les bras chargés de linge et de serviettes humides.

– Je ne sais pas.

– Qui a mis ça là ? demanda-t-il.

Tante Clara arriva derrière lui. J'osai le regarder droit dans les yeux.

– Je n'en ai pas la moindre idée, oncle Reuben.

– Ce ne serait pas toi, par hasard ?

– Elle rangeait les affaires de Jennifer quand j'ai trouvé ça sous l'oreiller, expliqua doucement tante Clara. Ce n'est pas elle qui l'a mis là.

Puis elle se mit à pleurer en silence.

– Et je suppose que tu n'es au courant de rien, toi, bien sûr ! me lança-t-il.

Je me contentai de secouer mollement la tête.

Le regard dur d'oncle Reuben se posa sur tante Clara puis revint à moi.

– Nous en discuterons quand Jennifer rentrera, dit-il d'une voix glaciale avant de quitter la chambre d'un pas rageur.

– Mon Dieu, murmura tante Clara en larmes avant de le suivre. Mon Dieu, mon Dieu...

Je posai les serviettes sur le bord du lit et contemplai un instant une des photos qui ornaient la coiffeuse de Jennifer, celle où elle affichait un sourire suffisant. Malgré moi, je souris.

La réaction de ma cousine fut parfaitement prévisible. Dès qu'elle fut confrontée aux faits, elle éclata en sanglots et pointa sur moi un index accusateur.

– C'est elle qui a fait ça ! Pour m'attirer des ennuis, j'en suis sûre !

– C'est bien ce que je pensais, renchérit oncle Reuben.

– Ah, oui ? dis-je d'un air surpris. Et quand aurais-je fait ça ? je ne suis pas allée dans ta chambre jusqu'à ce que nous montions y faire le ménage, tante Clara et moi.

– Tu as dû le faire plus tôt.

– Pourquoi ? Dans quel but ?

– Pour m'ennuyer, gémit-elle. Pour m'humilier... Je te connais.

– Pourquoi ferais-je ça ? Pourquoi m'abaisserais-je à aller déposer un objet compromettant sous ton oreiller ? J'ai bien d'autres choses à faire.

Elle me jeta un regard haineux puis se tourna vers oncle Reuben.

– Papa ! supplia-t-elle.

– Jennifer est incapable de faire une chose pareille. Elle n'a jamais fumé de joint. Mais je parierais que toi, tu ne t'en es pas privée.

– Vous perdriez votre pari, rétorquai-je d'un ton sec.

– Papa, je n'ai rien fait ! insista Jennifer en tapant du pied.

– D'accord, d'accord, je te crois.

Il demeura un instant songeur tandis que l'ombre d'un doute passait sur son visage.

– On oublie ça pour le moment mais, à la première incartade, même la plus légère, je sévis. Si je trouve une nouvelle fois de la drogue dans cette maison, c'est chez la police que je traîne son propriétaire.

Cette dernière phrase m'étant, bien entendu, directement adressée.

Jennifer me jeta un petit regard satisfait avant de déclarer

– Je suis fatiguée. Il faut que je me repose avant d'aller au cinéma.

Sur ce, elle s'empressa de monter dans sa chambre. Plus personne ne parla de l'incident mais en partant au collège, le lundi suivant, Jennifer se précipita sur moi avant de monter dans le bus.

– Je sais que c'est toi qui as mis ce joint sous mon oreiller !

– C'était le tien. Tu l'avais laissé dans ton sac de déjeuner mais je l'ai récupéré juste à temps pour t'éviter des ennuis. Je pensais que tu me remercierais de l'avoir caché à Mr Moore.

Elle me toisa d'un air méprisant et monta dans le bus. Plus tard, je fis part des derniers événements à Terri, que nous nous amusâmes ensuite à raconter aux autres. La journée entière, Jennifer s'arrangea pour m'éviter. Ce fut le premier moment vraiment agréable que je passai dans ma nouvelle école.

J'avais cependant très envie que toute cette histoire finisse. J'en avais assez de lutter contre Jennifer et oncle Reuben.

Mes espoirs, pourtant, s'avérèrent de courte durée, ce soir-là. Dans le bus du retour, Jennifer ne daigna pas me parler, bien sûr, et, arrivée devant la maison, elle se dirigea avec une lenteur excessive vers le perron pour me laisser entrer la première. Dès que je mis le pied à l'intérieur, tante Clara sortit du salon, la main crispée sur un mouchoir qu'elle tenait contre sa bouche.

– Que se passe-t-il ? lui demandai-je tandis que Jennifer entrait à son tour.

– Ta mère... me dit-elle entre deux sanglots. Elle s'est enfuie du centre de désintoxication. Elle a fait une fugue...

– Super ! lança Jennifer derrière moi. Peut-être

qu'elle va venir te chercher et vous pourrez ficher le camp d'ici toutes les deux.

– Arrête de parler ainsi ! s'écria soudain tante Clara d'une voix aiguë que je ne lui connaissais pas. Je ne le supporte pas !

Les yeux de ma cousine s'emplirent de larmes.

– Tu l'aimes plus que moi, je sais bien !

Tante Clara secoua la tête d'un air malheureux.

– Si, tu l'aimes plus que moi ! insista Jennifer. Mais ça ne m'étonne pas.

Sur ces aigres paroles, elle s'enfuit vers sa chambre.

– Il faut que je parte, murmurai-je alors.

– Et où irais-tu, ma petite ? Tu ne peux pas rester sans famille.

« Une famille... », songeai-je. C'était un mot dont la signification m'échappait toujours.

5

Derrière les portes closes

– C'est à peine croyable ! hurla oncle Reuben en entrant dans la maison. Clara, tu te rends compte que la police est venue jusqu'à mon bureau pour m'interroger ? La police ! Tout le monde a vu les flics me parler et veut maintenant savoir ce qui se passe. J'ai dû leur dire que ma sœur s'était enfuie du centre de désintoxication où elle se faisait soigner, et qu'elle avait enfreint les injonctions de la justice. Elle n'est ni plus ni moins qu'une évadée ; la police est venue me demander si elle m'avait contacté. Eh bien, je peux te dire que, si elle a l'audace de chercher à me joindre, je lui tournerai le dos. Elle nous entraîne tous dans sa chute !

Tremblante, le cœur battant, je l'entendais de ma chambre hurler dans la cuisine et passer sa colère sur tout ce qui lui tombait sous la main.

– Je t'en prie, Reuben, ne te mets pas dans un tel état, dit ma tante.

– Comment veux-tu que je ne sois pas hors de moi ? reprit-il avec un rire cruel. Ma sœur est pourrie jusqu'au cœur comme un fruit qui empesterait

à cent lieues à la ronde. Et me voilà avec sa délin-
quante de fille à élever, maintenant ! Elle aurait
mieux fait de réfléchir avant de se laisser engrosser
par ce vaurien de Cubain. Mais l'État va nous rem-
bourser tout ce qu'elle nous coûte ; j'y compte bien.
Tous les jours, on voit ça... des femmes qui ne
devraient pas avoir de mouflets parce qu'elles n'ont
pas les moyens de les élever, et qui nous les mettent
ensuite sur les bras. Voilà pourquoi on paie tant
d'impôts : à cause de personnes négligentes comme
ma sœur et de leur progéniture.

– Arrête de ruminer ces idées, Reuben, dit tante
Clara. Tu vas te rendre malade.

– Malade ? Mais je suis malade ! Malade de voir
tout ça ! Si encore je n'avais pas essayé de lui venir
en aide ! Je lui ai expliqué comment agissait un
homme, un vrai... Je lui ai montré. Ça, pour lui
montrer, je lui ai montré !

– Reuben... Ce n'est pas la peine de te mettre
dans un état pareil.

Cette fois-ci, je sentis l'anxiété percer dans la
voix de tante Clara. Le sujet la rendait nerveuse et
elle désirait manifestement en changer.

Mais que racontait oncle Reuben au sujet de ma
mère ? Que lui avait-il montré ? Un doute affreux
s'installa en moi tandis que je remuais ces questions
dans ma tête.

Je l'entendis se lever, se diriger vers l'escalier et

s'arrêter un instant devant ma porte. Mon cœur se mit à battre la chamade. Je crus qu'il allait faire irruption dans ma chambre pour me hurler des horreurs à propos de maman et me dire quel poids je représentais pour la société.

Les yeux rivés au sol, j'attendis en retenant mon souffle. Au bout de quelques minutes, ses pas s'éloignèrent avant de résonner lourdement sur les marches de bois.

Les yeux brûlants de larmes, je me tournai vers la fenêtre.

« Maman, comment as-tu pu me faire une chose pareille ? Pourquoi t'es-tu enfuie... ? »

L'espace d'un instant je me pris à imaginer qu'elle viendrait me chercher, m'arracher à tout cela. Nous nous enfuirions, nous nous cacherions, n'importe où... Mais, aussitôt, je me rendis compte de ma naïveté : j'étais sans doute la dernière personne à qui elle avait songé en s'enfuyant. En ce moment même, elle devait être dans les bras d'un de ces dégénérés qu'elle affectionnait tant, ou bien elle se terrait quelque part, ou encore elle errait à la recherche de quelque taudis où se réfugier.

Ma mère me semblait à présent avoir deux personnalités différentes. Des années plus tôt, lorsque j'étais jeune, elle avait été la personne que j'aimais le plus au monde et qui m'aimait sans réserve. Mais, de façon incompréhensible, ce sentiment avait fini par disparaître et, peu à peu, nous en étions venues à vivre comme des étrangères.

Sans doute oncle Reuben avait-il raison. Peut-être ma mère n'était-elle qu'une bonne à rien, en fin de compte. Il s'était passé quelque chose dans sa tête, dans son cerveau ; une sorte de maladie qu'on ne pourrait jamais guérir. Elle ne changerait pas...

Ce germe pernicieux était-il en moi, aussi ? Est-ce que, sans pouvoir rien y faire, j'allais devenir un jour comme elle ? J'étais la fille de ma mère ; j'avais sans doute hérité certains de ses traits de caractère. Mais lesquels ? Étaient-ils malsains, diaboliques... ? Je savais que je n'étais pas comme les autres filles de mon âge. Je n'avais pas vraiment d'amis, nourrir des ambitions m'effrayait et, lorsque je m'imaginais dix ans plus tard, c'était le même être solitaire et perdu que je voyais.

Oncle Reuben n'avait pas tort. Je serais exactement comme ma mère.

Je soupirai si fort qu'une douleur m'étreignit la poitrine. Puis, lentement, je me levai, essuyai mon visage ruisselant de larmes et rejoignis tante Clara pour l'aider à préparer le dîner. Elle me parut elle-même fatiguée et très triste. Avec ses épaules voûtées, ses yeux baissés et ses petits pas mal assurés, elle semblait plus menue et fragile que jamais. Cependant, toute pitoyable qu'elle était, elle posa sur moi un regard plein de chaleur et de compassion.

– Ma pauvre enfant, dit-elle d'une voix douce, je sais ce que tu ressens. Quel dommage que ta mère agisse ainsi ! Si au moins elle se rendait compte de ce qu'elle t'inflige.

Sans répondre, je commençai à mettre le couvert. La perspective de me retrouver à table avec oncle Reuben me glaçait le sang. Il allait inévitablement se lancer dans une nouvelle diatribe contre maman et moi et, rien que d'y penser, j'avais déjà un nœud dans la gorge. Comment avaler quoi que ce soit, dans ces conditions ? Alors, bien sûr, il crierait que je gaspillais la nourriture pour laquelle il travaillait si durement.

Soudain, la tête me tourna et je dus m'agripper à une chaise pour ne pas m'écrouler sur le carrelage. Tante Clara se précipita vers moi.

– Que se passe-t-il, Rebecca ?

– Je ne sais pas. Je... J'ai eu un étourdissement.

– Tu es blanche comme un linge. Tiens, assieds-toi, je t'apporte un verre d'eau fraîche.

Hébétée, l'estomac affreusement barbouillé, j'obéis. Quand elle me tendit le verre, je le saisis à deux mains et avalai une longue gorgée de liquide qui me fit un bien immédiat.

– Je voudrais que tu ailles t'allonger, ma petite, me suggéra-t-elle alors. Je n'ai de toute façon plus besoin de toi ici, tout est prêt. Va... Va te reposer. Tous ces événements t'ont bouleversée.

Elle m'aida à me lever, m'accompagna jusqu'à ma chambre et déplia le lit.

– Je ne me sens pas bien, dis-je en m'allongeant.

– Écoute, si dans quelque temps ça ne va pas mieux, je t'emmène aux urgences.

– Non, je ne suis pas malade, tante Clara. Ça ira mieux, je vous le promets.

Elle me passa une main dans les cheveux puis me tâta le front.

– Tu n'as pas l'air fiévreuse mais tu es très moite. C'est l'émotion, j'en suis sûre. Repose-toi, mon petit.

Elle partit chercher le verre d'eau, qu'elle déposa à mon chevet. Une fois sous l'édredon, je me sentis un peu mieux, bien que mon estomac continue à me jouer des tours. Tante Clara me laissa seule et je fermai les yeux pour m'endormir presque immédiatement.

Ce fut la voix puissante d'oncle Reuben qui me réveilla en sursaut, quelques minutes plus tard ; il tonnait à travers la maison entière en demandant où j'étais passée et pourquoi je n'aidais pas à servir le repas. Je tentai de me lever mais, aussitôt, la pièce se mit à tourner. Sans insister davantage, je reposai la tête sur l'oreiller.

Dans la cuisine, les voix se firent de moins en

moins distinctes et je dus m'endormir de nouveau car, lorsque j'ouvris les yeux, tante Clara se tenait à mes côtés, un plateau dans les mains.

– Comment te sens-tu, ma petite ?

Je me frottai le visage, poussai un long soupir et m'assis en me calant contre l'oreiller. Heureusement, cette fois-ci, la pièce ne se mit pas à tourner.

– Mieux, merci.

– Bon. Je t'ai apporté de quoi dîner un peu. Il te faut quelque chose de chaud dans le ventre.

– Je n'ai pas très faim....

– Je sais mais il vaut mieux manger quand on a subi une telle pression. Allez, un petit effort.

Elle me posa le plateau sur les genoux puis ajouta sur un ton qui se voulait ferme :

– Mange tout ce que tu peux.

– Doux Jésus ! lança soudain oncle Reuben du pas de la porte. Voilà qu'elle se fait servir comme une princesse, maintenant !

– Je t'ai dit qu'elle ne se sentait pas bien, Reuben. Je voudrais qu'elle avale quelque chose.

– Comment veux-tu qu'elle se sente bien ? Avec la vie qu'elle a eue... C'est déjà un miracle qu'elle n'ait pas contracté de sales maladies. On va tous attraper ses microbes, si ça continue. Et toi qui demandes à Jennifer de lui prêter ses affaires !

– Je suis en aussi bonne santé que Jennifer ! protestai-je sur un ton indigné.

93

Un mauvais sourire se dessina sur son visage.

– J'ose a peine imaginer l'état de tes dents. Quand est-ce que tu es allée chez le dentiste, la dernière fois ?

Cela faisait plus d'un an. Je ne répondis rien.

– Tu comprends mes craintes ? demanda-t-il à tante Clara. Ou l'État nous aide ou on se verra obligés de...

– De quoi ? m'écriai-je avec le peu de force qui me restait.

– Tu as très bien compris, Rebecca, rétorqua-t-il en pointant sur moi un index menaçant.

– Laisse-la manger, Reuben. On aura le temps de parler de tout cela plus tard.

Comme il lui jetait un regard incendiaire, elle baissa vivement les yeux.

– Le temps ? On a tout notre temps, oui ! reprit-il avec sarcasme. Parce que ce n'est pas ma sœur qui viendra la chercher, j'en suis bien certain.

Sur ces paroles, il tourna les talons et disparut dans le couloir.

Je me mis à pleurer, en tremblant tellement que je crus que mon cœur allait éclater en morceaux. Tante Clara prit alors le plateau qu'elle posa par terre pour s'asseoir près de moi et me prendre dans ses bras.

– Ne pleure pas, ma chérie. Il ne pense pas ce qu'il dit. Il est furieux parce qu'on est venu l'ennuyer au bureau. Je t'en prie, ne te rends pas plus malade que tu l'es.

Je ravalai mes larmes et soupirai longuement.

– S'il te plaît, Rebecca, insista-t-elle, mange quelque chose.

– D'accord, je vais essayer. Merci pour... pour tout ce que vous faites pour moi.

Je me mis à manger du bout des lèvres et elle me quitta en prenant soin de laisser la porte ouverte. Quelques instants plus tard, ce fut William qui apparut sur le seuil de ma chambre.

– Je remporterai ton plateau dans la cuisine, proposa-t-il en souriant.

– Merci, répondis-je en lui rendant son sourire, mais je serai capable de le faire, tu sais.

Comme il me regardait à présent d'un air grave, je lui demandai :

– Qu'est-ce que tu as ?

– Tu te sens bien, maintenant ?

– Oui, oui. Ta mère avait raison. Ce repas chaud m'a fait le plus grand bien.

– Tant mieux parce que je voudrais te montrer la maison d'oiseaux à deux étages que j'ai fabriquée. Elle est terminée.

– Vraiment ? D'accord, je monte la voir.

Incitée par la bonne humeur de William, je me levai et emportai mon plateau à la cuisine. Tante

Clara, qui regardait la télévision, se précipita pour me le prendre des mains.

– Je m'en occupe, Rebecca.

– Non, je vais bien maintenant, tante Clara. Merci.

– Tu as tout mangé, commenta-t-elle en débarrassant mon assiette et mes couverts. C'est bien. Tu peux aller faire tes devoirs ou regarder la télévision, si tu veux.

– Je vais d'abord voir la nouvelle maison d'oiseaux de William et, ensuite, je ferai mes devoirs.

– Oh, bonne idée, Rebecca.

– Viens vite, lança mon cousin avec enthousiasme.

Je le suivis dans l'escalier.

Un instant plus tard, assise au bout de son lit, je l'écoutais m'expliquer quel genre d'oiseaux viendraient se nourrir dans sa maison. Je ne pus alors m'empêcher de le plaindre et de regretter que son père s'intéresse si peu à ce qu'il savait faire de ses dix doigts. Il me faisait penser à une fleur chétive et pâle, qui ne recevait pas assez de lumière.

En fait, sans vraiment s'en rendre compte, William me parla autant ce soir-là de la souffrance que lui causaient les railleries de son père que de son amour des oiseaux. L'intérêt que je portais à ce qu'il faisait, sa passion finirent par lui faire oublier sa tristesse et même sa timidité. Son visage rayonnait de fierté.

– Merci de m'avoir montré ton œuvre, William. Je suis sûre que tu pourrais vendre ces maisons dans ton quartier ou ailleurs. Elles sont très belles.

Je fis alors le tour de sa chambre pour admirer les maisons déjà construites. Son travail m'impressionnait et je tenais à le lui manifester. Heureux de me voir aussi intéressée et admirative, il me montra ses livres d'ornithologie, les outils et la peinture qu'il utilisait, et quelques-unes de ses autres créations.

– Tu as un oiseau préféré ? demanda-t-il soudain. Si tu en as un, je fabriquerai une maison exprès pour toi.

– Non, William. C'est dommage, je n'y connais rien en oiseaux. Il n'y avait aucun arbre près de l'immeuble où j'habitais avec ma mère.

– Oui, j'imagine... Tu sais, je voudrais construire une maison particulière pour chaque espèce d'oiseau qu'on peut rencontrer dans le coin. Mais ça coûte cher d'acheter du bois et tout le matériel nécessaire pour les fabriquer. Et chaque fois que j'essaie d'intéresser papa à mes projets, il se moque de moi.

– J'aimerais tellement pouvoir te prêter de l'argent pour acheter ton matériel, dis-je avec tristesse.

– Ne t'en fais pas. Je trouverai de l'argent.

Il réfléchit un instant puis décida de tout m'avouer.

– Papa laisse tomber de ses poches beaucoup de petite monnaie quand il s'allonge sur le canapé pour regarder la télé. Alors, quand je suis sûr que personne ne me voit, je soulève les coussins et je cherche les sous qui y sont coincés. Une fois, j'ai trouvé pas loin de deux dollars en petites pièces.

Je me mis à rire.

– C'est trop drôle. Je ne trahirai jamais ton secret, William, fais-moi confiance.

Avant de le quitter, je lui plantai un rapide baiser sur le front. Mais, au moment où je m'écartai de lui, il prit un air si choqué que je crus qu'il allait hurler. Comment un geste aussi anodin pouvait-il le troubler à ce point ?

Un peu gênée par sa réaction, je me retournai pour partir, c'est alors que je compris la vraie raison de son émoi. Oncle Reuben se tenait dans l'encadrement de la porte.

– Qu'est-ce que vous fabriquez ici, tous les deux ? s'écria-t-il, rouge de fureur. Rebecca, écarte-toi de mon fils. Je savais bien que tu étais une bonne à rien, comme ta mère. Te voilà maintenant qui fais du charme à William, exactement comme elle l'a fait avec moi. Eh bien, je ne veux pas voir ça dans ma maison, tu m'entends ? Sors de cette chambre avant que je ne te fiche dehors avec un coup de pied aux fesses !

Durant un instant, la terreur me pétrifia. Puis, oncle Reuben tira violemment William à lui et je compris que j'avais intérêt à filer au plus vite.

En passant devant lui, j'eus le temps d'apercevoir le visage affolé de mon cousin, et là je me ravisai. Il fallait que je parle.

– Nous ne faisions rien de mal, oncle Reuben, osai-je protester en tremblant. William me montrait ses maisons d'oiseaux, c'est tout.

Ces mots ne firent qu'aggraver sa fureur sans que j'en comprenne la raison.

Malgré ma honte de laisser William affronter seul la colère de son père, je m'enfuis, dévalai l'escalier et courus m'enfermer à double tour dans ma chambre. Je savais que mon oncle était capable de briser la porte s'il le voulait mais, une fois réfugiée sur mon lit, je n'entendis plus qu'un lourd silence. À la fois intriguée et inquiète, je priai le ciel de me garder sauve un peu de temps encore. Juste un peu de temps...

Je tentai alors de me mettre à ma leçon de maths mais il me fut impossible de me concentrer sur mon travail tant mon cœur battait fort. Et si oncle Reuben était en train de frapper William, là-haut ? De quoi nous soupçonnait-il ? Pour qui nous prenait-il ?

William vivait déjà dans la crainte constante de

se faire ridiculiser et rabaisser par son père ; il semblait maintenant que ce dernier avait trouvé d'autres raisons de l'humilier. De nous humilier tous les deux.

Il était évident à mes yeux que la réserve du jeune garçon n'avait pas d'autre cause que la peur des reproches, des cris, des railleries. Ou pis encore....

Je savais que tante Clara était très inquiète pour son fils. Elle parlait souvent de l'emmener voir un médecin. Mais comment ne voyait-elle pas que la timidité et l'introversion de William ne relevaient que de la terreur que lui inspirait oncle Reuben ?

Qu'arriverait-il si je restais dans cette maison où je me voyais, moi aussi, ridiculisée et humiliée – à cause de ma naissance, de ma mère ou de choses dont je n'avais même pas idée ? Est-ce que je deviendrais comme William ? Est-ce qu'un jour je disparaîtrais à l'intérieur de moi-même ?

Comme j'allais ouvrir mon livre de maths, tante Clara vint frapper doucement à ma porte.

– Rebecca, tout va bien ?

Je me levai aussitôt et lui ouvris. Elle avait les yeux rouges et gonflés d'avoir pleuré.

– Oui, tante Clara, tout va bien. Et William ? Oncle Reuben ne l'a pas battu, j'espère ? On ne faisait rien de mal, vous savez. Je le remerciais seulement de m'avoir montré ses maisons d'oiseaux. Et on... il est entré et s'est mis à hurler.

Revivre cette scène me bouleversa et je me mis à pleurer à mon tour, si fort que je fus bientôt incapable de prononcer une parole.

– Chut, chut... me dit-elle, s'asseyant à côté de moi. Je sais, mon petit, je sais. Mais c'est fini, c'est fini.

– Mais William... insistai-je entre deux sanglots. Qu'est-ce qu'oncle Reuben lui a fait ?

Pourquoi ne répondait-elle pas à ma question ?

– Il va bien mais, je t'en supplie, promets-moi de ne plus parler de cela. Reuben se mettrait de nouveau en colère. Promets-moi que tu n'en parleras pas, Rebecca !

– Je vous le promets, tante Clara.

Elle resta auprès de moi encore quelques instants puis, en me conseillant de ne pas veiller trop tard sur mes devoirs, elle me quitta.

Mon livre de maths sur les genoux, je levai les yeux vers le plafond qu'ébranlait le pas lourd d'oncle Reuben ; une porte se ferma, de l'eau coula dans la salle de bains et la sonnerie du téléphone retentit. Pauvre William, pensai-je. J'avais lu une telle peur dans son regard... De toute évidence, son père le terrifiait. Et tante Clara ? Avec le temps, avait-elle fini par construire autour d'elle-même un rempart d'abnégation, derrière lequel se dissimulaient de sombres secrets ?

101

Comme une bombe à retardement, tôt ou tard, cette maison finirait par exploser.

Je n'aimais pas vivre ici, je ne l'avais pas demandé. Mais m'avait-on donné le choix ? Je n'avais pas de père, pas de famille. Je me sentais piégée, prisonnière d'événements que je ne pouvais pas contrôler. Et cela ne faisait qu'augmenter la panique qui grandissait en moi, sonnant l'alarme comme une rafale de tam-tams au fond de la brousse.

Quelle prière formuler ? Que ma mère m'apparaisse miraculeusement ? Que mon mystérieux père s'intéresse soudain à la fille qu'il n'avait jamais connue ? Personne n'était aussi perdu, désemparé que moi. Je n'avais même pas de vrai nom et j'étais obligée de vivre avec des gens qui ne m'avaient pas choisie.

Dehors, une pluie d'orage se mit à tomber, qui se transforma bientôt en un véritable déluge. Tandis que le vent forçait, de grosses gouttes vinrent s'écraser contre la vitre pour s'écouler en un ruissellement qui ne cessait d'augmenter. J'entendis tante Clara se précipiter au rez-de-chaussée et fermer les fenêtres restées ouvertes, puis ce fut au tour d'oncle Reuben de dévaler l'escalier. Enfin, la tempête se calma, laissant place à une pluie régulière et monotone.

Je sentis alors l'obscurité s'épaissir autour de moi

102

et envelopper la maison tout entière. Mon visage était devenu froid et j'avais l'impression que mes larmes se changeaient en glaçons autour des yeux et sur les joues. Abandonnant mon livre de maths, je me dévêtis à la hâte puis me glissai sous l'édredon et, recroquevillée en position fœtale, j'enfouis la tête sous l'oreiller.

Il me fallut de longues minutes pour refouler le sentiment de peur et de solitude qui m'étreignait et me laisser emporter par le sommeil.

La caresse du soleil sur mon visage me réveilla au moment précis où oncle Reuben descendait l'escalier. Je bondis hors du lit et me ruai dans la salle de bains. Mais je n'eus pas le temps de me passer de l'eau sur la figure que mon absence à la cuisine provoquait des cris de fureur. Tout était redevenu normal. Tout avait repris son cours...

– Pourquoi est-ce que tu t'es levée si tard ? me reprocha-t-il lorsque je les rejoignis. Tu sais que tu dois aider ta tante dès le matin pour le petit déjeuner.

William choisit cet instant pour faire son apparition et s'asseoir à côté de moi. Son regard croisa un instant le mien avant de se fixer sur son bol de céréales.

Oncle Reuben nous observa chacun longuement puis, sans crier gare, cogna violemment sur la table.

– Que je ne te reprenne plus à traîner dans la chambre de William, tu m'entends ?

– Oui, murmurai-je en espérant qu'il n'ajouterait rien.

– Et, aujourd'hui, je vais devoir encore perdre un temps précieux à essayer de régler tes problèmes. Je suis sûr que ta mère n'a pas passé une seule minute à s'occuper de toi. Est-ce qu'elle allait de temps en temps à l'école pour savoir comment tu travaillais et comment tu te conduisais ?

Sans répliquer, j'avalai lentement une gorgée du jus d'orange que tante Clara venait de me servir.

– Quand je te parle, Rebecca, je veux que tu me regardes et que tu me répondes.

– Non, jamais.

– Jamais quoi ? s'écria-t-il.

– Elle n'est jamais venue à l'école.

– C'est bien ce que je pensais, reprit-il, manifestement très satisfait de ma réponse.

Son regard quêta en vain l'approbation de tante Clara qui s'affairait devant l'évier.

– Jennifer devrait descendre, Reuben, dit-elle sans se retourner. Elle va être en retard pour le bus.

– Jennifer n'est jamais en retard.

– Tu sais bien qu'elle l'a été plusieurs fois, corrigea-t-elle doucement. Tu as dû la conduire toi-même à l'école, tu te souviens ?

104

– Le bus était passé plus tôt que d'habitude, s'entêta-t-il.

Le temps que ma chère cousine fasse son apparition, William et moi avions fini notre petit déjeuner. J'entrepris donc de débarrasser la table.

– Laisse ça ! ordonna-t-elle comme je saisissais le sucrier. Je n'ai pas fini mes céréales.

– Jennifer, tu devrais te lever plus tôt, conseilla tante Clara. Tu as à peine le temps de manger, maintenant.

– J'aimerais bien... se plaignit-elle sur un ton amer. Si je pouvais au moins mettre la main sur les habits que je veux porter le matin. Mes chemisiers n'étaient pas rangés au bon endroit et on avait fourré ma jupe préférée dans le fond du placard ; j'ai eu un mal fou à la retrouver.

« ON avait fourré... » Elle me regarda avec dureté.

– Si tu rangeais tes affaires toi-même, tu saurais où les retrouver, déclarai-je d'une voix sèche.

– Tu es jalouse parce que j'n'ai plus d'habits que toi. Si tu en avais autant que moi, toi aussi tu aurais du mal à te rappeler où tu les ranges. Et puis, cette jupe, je suis sûre que c'est toi qui l'as cachée pour pouvoir la porter un jour à ma place.

– Je n'ai vraiment pas envie de porter tes affaires. J'ai mes propres habits et...

– Je ne veux pas entendre vos chamailleries à table ! intervint oncle Reuben en criant.

Furieux, il écarta sa chaise et se leva. Jennifer resta assise et tante Clara s'empressa de lui servir une seconde tasse de café.

– Jamais auparavant on n'avait de querelles durant les repas, continua-t-il du même ton en me fixant. Mais j'imagine que ce sont des choses qui arrivaient souvent chez toi, n'est-ce pas, Rebecca ?

– Vous vous trompez, rétorquai-je, indignée.

Tante Clara me jeta un regard apeuré et secoua faiblement la tête. Sans doute aurait-elle préféré que je sois comme elle, que je me fourre la tête dans le sable, que j'absorbe sans mot dire les remarques désobligeantes d'oncle Reuben et que je prie pour que tout s'arrange au plus vite.

– Si je dois te rendre un service quelconque, poursuivit-il, ce sera de t'apprendre à te comporter convenablement. Je sais que ton éducation est à refaire entièrement mais, si tu dois vivre avec nous, je te jure que je saurai t'inculquer d'autres habitudes. Regarde Jennifer. Prends exemple sur elle.

Sidérée par cette dernière remarque, j'eus le plus grand mal à ne pas éclater de rire. L'air suffisant, Jennifer acheva tranquillement de manger ses céréales, avala une gorgée de café puis bondit de sa chaise.

– Papa, on doit y aller, on va rater notre bus ! s'écria-t-elle. Tu feras son éducation plus tard.

Il marmonna quelques mots incompréhensibles et sortit de la cuisine. William me regarda avec sympathie mais préféra ne rien dire. Je partis prendre mes livres et quittai la maison quelques secondes après Jennifer. Elle se trouvait déjà au bout de l'allée, à l'arrêt du bus, en train de parler avec ses amies.

Depuis quelques jours, le grand sujet de conversation était le prochain bal de l'école. Chaque fille faisait part aux autres de ses espoirs quant au garçon qui se proposerait comme chevalier servant pour la soirée. La liste des éventuels candidats de Jennifer était bien sûr la plus longue.

– Elle n'est pas là depuis longtemps, entendis-je Paula Gordon murmurer en regardant dans ma direction. Tu crois que quelqu'un se proposera pour l'accompagner ?

– Je ne vois pas qui, répliqua Jennifer d'une voix forte. Si, attends... Peut-être Clarence Dunsen, finalement.

– Ouais, c'est ça. Il fera : « Re... Rebecca, tu... tu... tu... vou... tu... voudrais... m'a... m'a... m'acc... m'accomp... p... pagner au ba... ba... bal... ? »

Toutes ensemble, elles éclatèrent d'un rire méchant avant de s'éloigner. Leurs voix devinrent alors plus feutrées et je fis mine de les ignorer.

Soulagée de voir le bus enfin arriver, je m'empressai d'y monter et pris place auprès de Clarence. Elles riaient encore en passant devant nous.

Il était étrange de constater comment Jennifer pouvait drainer autour d'elle des filles qui lui ressemblaient. Elles paraissaient collées les unes aux autres, aussi confortablement que des cochons dans leur porcherie. Cette pensée me fit sourire, ce qui m'attira le regard intrigué de Clarence.

L'espace d'un instant, je me pris à souhaiter qu'il propose de m'accompagner au bal de l'école, histoire de leur clouer le bec à toutes. Il était beau garçon, malgré son bégaiement. Mais cela resterait un rêve et, dans ma vie, les rêves étaient comme les nuages : ils flottaient, impossibles à saisir, emportés par le vent, et disparaissaient aussi vite qu'ils avaient surgi.

6

M'aimait-il ?

Durant mon année de sixième, j'avais eu un très gros faible pour un garçon. Il s'appelait Ronnie Clark et ses yeux sombres souriaient avec tant de chaleur qu'ils avaient le don de me faire retrouver ma bonne humeur au beau milieu d'une crise de cafard. Et, lorsque Ronnie devenait grave ou qu'il était perdu dans ses pensées, son regard prenait alors un aspect mystérieux et intense qui me troublait jusqu'au plus profond de moi-même.

À plusieurs reprises, je l'avais surpris m'observant à la dérobée, et mon cœur avait bondi d'émotion. C'était depuis ce temps-là que j'avais commencé à me préoccuper de ma coiffure, de mes vêtements et de mon visage.

Le monde peut prendre un aspect radicalement différent quand on se rend compte qu'un garçon comme Ronnie Clark vous porte de l'intérêt. Au moindre de mes mouvements, chaque fois que je bougeais ou me retournais, que je me levais pour sortir de la classe, que je prenais mon stylo dans ma sacoche, j'étais consciente de l'effet que je produisais sur lui.

Et, dès que j'en avais l'occasion, je m'arrangeais les cheveux, je vérifiais l'aspect de mon visage dans un miroir de poche. Je détestais les habits que je portais et je regrettais de ne pas avoir regardé ma mère se maquiller à l'époque où elle savait encore le faire.

C'était avec la même discrétion que je regardais du côté de Ronnie. Et, s'il me surprenait en train de l'observer, je détournais vivement les yeux en prétendant l'indifférence. Parfois, il me souriait et, parfois, il paraissait déçu. Il était aussi timide que moi et je finissais par croire qu'il faudrait un bulldozer pour nous pousser l'un vers l'autre.

Ronnie ne semblait pas trouver le courage de s'asseoir à la même table que moi à la cafétéria, ni oser venir à ma rencontre dans les couloirs. Et, au bout d'un certain temps, j'en vins à me demander si je ne me berçais pas de douces illusions, si les regards que j'avais cru surprendre n'étaient pas que le fruit de mon imagination. Rien n'aurait été plus humiliant.

Un après-midi, alors que je me trouvais en cours de gym, je jetai un coup d'œil du côté du gymnase où s'entraînaient les garçons et je le surpris en train de m'observer. Nous jouions au volley et le ballon vint rebondir près de la porte donnant sur l'autre salle. Je courus et le saisis au vol, juste sous le nez de Ronnie.

– Bravo, dit-il simplement.

Le cœur tremblant d'émoi, je lui décochai mon plus beau sourire. Mrs Wilson lâcha un coup de sifflet strident et me rappela à ma place. Ronnie s'écarta vivement avant qu'elle ne lui reproche de rester là à ne rien faire. Mais, à l'heure du déjeuner, il trouva enfin le courage de me rejoindre dans la queue pour le self-service et poussa l'audace jusqu'à admettre que je jouais bien au volley.

– Tu pourrais dès maintenant faire partie de l'équipe féminine au lieu d'attendre l'année prochaine, me dit-il.

– Raconte-moi comment ça se passe dans une équipe scolaire, demandai-je.

Son plateau à la main, il me suivit jusqu'à ma table et nous restâmes à bavarder pendant toute l'heure du repas.

À partir de ce jour, nous commençâmes à sortir ensemble, ce qui se limita à nous tenir par la main ou à nous embrasser après l'école. Mais, un soir où je le retrouvais au cinéma, il m'annonça qu'il devait rentrer chez lui aussitôt la séance finie. Et tout s'arrêta entre nous, aussi abruptement que cela avait débuté, sans que je comprenne vraiment pourquoi.

Ronnie se détourna de moi comme d'une peinture qu'il aurait assez vue, et dont il se serait lassé. Et, bientôt, il se mit à regarder les autres filles comme il l'avait fait pour moi. Trouvant ridicule de tenter de le récupérer, je m'efforçai, malgré mon chagrin, de l'oublier. Ce fut d'ailleurs à cette époque que mon assiduité en cours commença à battre de l'aile.

Dans mon nouveau collège, peu de garçons étaient aussi beaux que Ronnie Clark. Et, pour une fois, j'étais d'accord avec Jennifer : il était peu probable qu'un seul ait envie de m'accompagner au bal de l'école. Aussi fus-je très surprise, lorsque l'après-midi même où elle et ses amies s'étaient moquées de moi à propos de Clarence Dunsen, un dénommé Gary Carson, au visage poupin, me bous-cula manifestement à dessein, dans un couloir. Comme je me tournais vers lui pour lui reprocher son attitude, il sourit et m'annonça tout à trac :

– Jimmy Freer te trouve rudement chouette.

Sans attendre, il fila, me laissant totalement déconcertée. Je connaissais Jimmy Freer. Capitaine de l'équipe de basket junior, il était grand, athlétique et, pour ne rien gâcher, très beau. Il se trouvait bien sûr tout en haut de la liste de Jennifer et jamais je n'aurais osé rêver qu'il puisse s'intéresser à moi. Pourtant, à l'heure du déjeuner, il me rejoignit devant le distributeur de boissons où je prenais un mini-pack de lait.

– Bien choisi, me lança-t-il. C'est bon pour la santé.

Je me retournai vivement et la timidité me laissa un instant muette.

– Oui, ajouta-t-il, tout le monde achète du soda.

– Je n'aime pas beaucoup ça, articulai-je enfin. Le lait me convient très bien.

Après avoir pris ma boisson, je partis rejoindre Terri et quelques autres amies, mais il me rattrapa.

– Viens t'asseoir avec moi, proposa-t-il en m'indiquant une table un peu plus loin.

Je jetai un coup d'œil aux filles qui nous observaient avec un intérêt non feint puis je pivotai d'un quart de tour et croisai le regard envieux de Jennifer et ses copines en train de me dévorer des yeux. Une intense satisfaction m'envahit.

– D'accord, acceptai-je en souriant.

Je le suivis et il me fit asseoir en face de lui.

– Le collège te plaît ? demanda-t-il en trempant sa cuiller dans un bol de soupe au poulet.

– Oui, ça va.

– Tu as l'air toujours d'accord avec tout, on dirait.

– Non, justement. Pas tout le temps...

Jimmy se mit à rire et je remarquai alors qu'il avait un charmant sourire et un nez parfaitement rectiligne. J'aimais la façon dont apparaissait une petite fossette sur sa joue droite quand il parlait. Ses cheveux bruns étaient coupés court au-dessus des oreilles mais il laissait flotter sur son front une longue et souple frange. Quant à ses yeux, ils étaient de couleur noisette et tachetés çà et là de vert et d'or. Inutile de se demander pourquoi il les faisait toutes craquer !

Devant le charme manifeste qu'il déployait, j'essayai de montrer une indifférence tranquille, tout en minaudant sans en avoir l'air. Tout le monde nous observait et j'eus l'impression de me trouver devant des caméras de télévision qui magnifiaient le moindre de mes gestes.

Entre chaque bouchée du sandwich que m'avait préparé tante Clara, je me tamponnais discrètement les lèvres de crainte d'y laisser quelque miette.

– Alors, tu vis chez Jennifer, c'est ça ?

– Oui, en quelque sorte.

– En quelque sorte ?

– Je n'appelle pas ça vivre, tu vois.

De nouveau, il se mit à rire. Puis il me sourit et m'examina de façon si intense que j'eus la désagréable sensation d'être nue.

– Je savais bien que tu étais plus intelligente que la plupart des filles d'ici.

– Oh, n'exagérons rien !

– Tu comprends ce que je veux dire, insista-t-il avec un éclat malicieux dans le regard.

– Non, pas vraiment.

Il eut un rire bref avant de reprendre d'un ton sérieux :

— Tu as déjà participé à des matches de basket inter-collèges ?

— Non.

— Écoute, il y a une rencontre importante demain soir, contre Roscoe. On les a battus une fois l'année dernière et ils ont eu leur revanche contre nous cette année. Ça risque d'être passionnant. Ça te dirait de venir ?

— Je ne sais pas si je pourrai.

— Pourquoi tu ne pourrais pas ? Il faut avoir l'esprit de compétition et savoir soutenir son école.

— Ce n'est pas ça. Je ne sais pas si mon oncle me laissera sortir.

Cette réflexion le laissa pensif et il acheva son bol sans ajouter un mot.

— Pourquoi s'y opposerait-il ? dit-il enfin après s'être essuyé les lèvres.

Puis, se penchant vers moi, il ajouta :

— Ton ancienne école aurait-elle transmis un mauvais dossier sur toi ?

— Oui. Mon casier judiciaire est loin d'être vierge, vois-tu. S'ils pouvaient, ils placarderaient ma photo dans tous les postes de police.

Il sembla réfléchir un instant puis déclara d'un air ravi :

— Tu m'as vraiment l'air d'être quelqu'un de

spécial. Allez, viens me voir jouer, demain. Après le match, Missy Taylor donne une petite soirée chez elle. On va bien s'amuser, surtout si on bat Roscoe.

– Je ne peux rien te promettre. Mais c'est vrai que j'aimerais beaucoup y aller.

– Tu es assez grande pour sortir quand tu veux, tout de même. Ils n'ont pas le droit de t'enfermer. Je suis sûr que Jennifer fait ce qu'elle veut, elle. Et je parie qu'elle viendra au match, demain soir. Tu pourrais y aller avec elle, après tout.

– J'essaierai. Mais, tu sais, elle n'adore pas m'emmener avec elle quand elle sort.

– Je saurai la persuader, ne t'en fais pas, promit-il avec un sourire malicieux.

Nous bavardâmes encore un peu et il me posa plusieurs questions sur ma vie avant que je ne vienne m'installer chez oncle Reuben. Je restai évasive. Jennifer avait réussi à répandre le bruit que ma mère était morte et je craignais de la contredire et de créer un scandale dans l'école qui risquerait de faire fuir Jimmy. D'ailleurs, ce que l'on pouvait savoir ou non de moi n'avait aucune espèce d'importance.

Dès qu'elle en eut l'opportunité, Jennifer vint me trouver. En temps normal, elle ne daignait même pas me gratifier d'un regard mais ses amies, sans doute avides de détails croustillants, avaient dû la supplier de venir me cuisiner.

– Qu'est-ce qu'il y a entre Jimmy et toi ? me demanda-t-elle comme l'aurait fait un flic chargé d'un interrogatoire.

Les mains sur les hanches, plantée devant moi, elle attendait ma réponse.

– Excuse-moi, dis-je en continuant mon chemin, mais je ne veux pas arriver en retard en cours.

– Ne te débine pas, Rebecca ! me lança-t-elle avec colère.

Cette attitude agressive accentuait sa ressemblance avec oncle Reuben.

– Je ne me débine pas, comme tu dis. Tu veux que je sois en retard et que j'aie des ennuis, c'est ça ? Tu sais très bien que ton père s'empressera de me faire les pires reproches.

– Tu as le temps, insista-t-elle. Réponds-moi.

– Jimmy qui ? demandai-je alors en prenant un air perplexe.

– Jimmy qui... ? répéta-t-elle, visiblement déconcertée par ma question. Mais Jimmy Freer, bien sûr. Tu lui parlais tout à l'heure, à la cafétéria.

Elle regarda les autres filles qui semblaient tout aussi décontenancées qu'elle.

– Oh... C'est comme ça qu'il s'appelle ? Il ne me l'a pas dit. Non, il n'y a rien entre nous mais, quand ça arrivera, tu seras la première à en être informée.

Sur ces mots, je repris mon chemin et je crus

presque sentir la chaleur de la rage qui bouillonnait en elle.

Je n'avais pas encore compris que, dès l'instant où j'avais été vue en compagnie de Jimmy Freer, Jennifer allait me porter nettement plus d'attention. Elle alla même jusqu'à m'attendre à l'arrêt de bus, cet après-midi-là en sortant de l'école.

– Tu veux aller au match de basket, demain soir ? me souffla-t-elle de sa voix la plus doucereuse.

– Comment ?

– Tu es sourde ? Je te demande si tu veux m'accompagner au match de basket, demain soir ?

– Oui, certainement.

C'était maintenant à moi d'être surprise.

– Mais ne mets surtout pas mon père en colère, ça pourrait tout gâcher, suggéra-t-elle avant de monter dans le bus sans me laisser le temps d'ajouter un mot.

J'aurais voulu pourtant lui demander pourquoi cela ne la gênait soudain plus d'être vue en ma compagnie. Mais j'eus vite fait de comprendre la raison de ce brusque revirement.

Un ami de Jimmy, Brad Dillon, avait proposé à Jennifer de l'emmener au match puis à la soirée. L'idée était de s'y rendre tous les quatre ensemble et, puisque Brad se trouvait en tête de la liste de Jennifer, elle tenait absolument à ce que je sois avec eux pour que sa petite affaire marche. Je fus très

118

étonnée d'apprendre que Brad désirait sortir avec elle. À mon avis, il était encore plus beau que Jimmy mais, nous n'allions pas tarder à le découvrir, les deux garçons avaient un plan bien précis en tête.

Jennifer avait très envie de faire de Brad son petit ami. Toute la soirée et le jour suivant, elle fit son possible pour s'assurer qu'oncle Reuben ne nous empêche pas d'assister au match. Soudain, je pris beaucoup d'importance à ses yeux. Ma cousine me proposa de participer aux tâches ménagères et se lança dans une entreprise de réconciliation, en prétendant m'aider à me faire des amies.

Oncle Reuben, qui revenait d'un rendez-vous avec l'assistante sociale, annonça au dîner qu'il entamait les démarches nécessaires pour devenir mon tuteur légal. Quant aux services sociaux, ils promettaient de prendre à leur charge les frais de mon entretien et de ma santé.

– Je trouve néanmoins invraisemblable que ce soit la société qui doive payer pour les erreurs de ma sœur, déclara-t-il en avalant avec voracité un morceau d'agneau.

Je relevai vivement la tête, comme s'il venait de me planter sa fourchette dans la main.

– Je ne suis pas une erreur, ripostai-je sur un ton indigné.

Tendue à l'extrême, je me sentais prête à éclater en sanglots. Mais je serrai les dents et parvins à refouler les larmes qui menaçaient de tomber en cascade le long de mes joues.

Oncle Reuben s'arrêta de manger et me jeta un regard méprisant. Un morceau de viande dépassait de ses lèvres épaisses et son menton luisait de graisse. Jennifer leva vers lui un visage inquiet. Tante Clara retint son souffle et William, les yeux rivés sur son assiette, lutta de toutes ses forces contre un imperceptible tremblement.

– C'est une erreur de ne pas s'être convenablement préparée à avoir des enfants, insista-t-il.

– Ma mère a fait des erreurs mais moi, je n'en suis pas une. Je suis un être humain, qui pense et qui a des sentiments.

Rejetant fièrement la tête en arrière, j'ajoutai :

– De toute façon, personne n'est parfait.

– Non, mais vous entendez ça ? Vous entendez comment elle me parle ? C'est du respect et de la gratitude que tu devrais me témoigner, Rebecca. Au lieu de ça, tu te montres insolente et impertinente.

– Je ne suis pas insolente, oncle Reuben.

– Ce n'est pas ce qu'elle voulait dire, intervint Jennifer d'une petite voix aiguë.

Surpris, son père se tourna vers elle. Moi-même, je la regardai avec étonnement et elle en profita pour me lancer un coup d'œil de mise en garde.

– C'est difficile d'entrer dans une nouvelle école où on ne connaît personne, expliqua-t-elle. Je vais l'aider à se faire de nouveaux amis.

– C'est magnifique, ma chérie ! s'extasia tante Clara, soudain rayonnante. Tu vois, Reuben, elles vont finir par très bien s'entendre.

L'air sceptique, il grommela quelque chose entre ses dents puis se remit à manger. Jennifer choisit ce moment pour parler du match de basket comme si c'était l'événement du siècle.

– Même nos professeurs y vont. C'est très important pour montrer l'esprit d'équipe du collège.

– Oui, c'est vrai, renchérit sa mère.

Oncle Reuben se mit alors à évoquer l'époque où il était collégien et, durant quelques minutes, j'eus réellement l'impression de me trouver au milieu d'un vrai dîner familial. Tante Clara elle-même rit à plusieurs reprises des anecdotes que racontait son mari.

Oncle Reuben s'interrompit soudain et fixa William.

– Tu vois comme c'est important de participer aux sports de l'école. Au lieu de passer tout ton temps enfermé dans ta chambre, tu devrais rester à l'école après les cours et t'engager dans une équipe.

William tourna vers moi un regard chargé d'une infinie tristesse.

– Il est trop jeune, déclarai-je. Il n'y a pas d'équipe encore pour son âge.

– Bien sûr qu'il y en a, rétorqua oncle Reuben. Il a même refusé de participer à des petites compétitions locales quand l'occasion s'est présentée. J'étais prêt à l'y entraîner de force mais sa mère en aurait été malade.

– Tout le monde n'est pas obligé d'être sportif, repris-je. Certaines personnes ont d'autres talents. William est extrêmement doué pour construire des maisons d'oiseaux ou monter des maquettes...

– Ah, bon ? coupa-t-il sur un ton agressif, Tu n'es pas là depuis un mois et tu prétends m'apprendre ce que mon fils sait ou ne sait pas faire. Elle est bien comme ma sœur, avec sa grande gueule et sa cervelle de moineau ! Quand je dis quelque chose à William, mademoiselle « je-sais-tout », tu n'as pas à me contredire, c'est compris ?

Ce disant, il plaqua avec force sa fourchette sur la table.

– Ce n'était pas son intention, papa, intervint vivement Jennifer. Rebecca, si tu veux, je vais t'aider à débarrasser et, après, on révisera nos maths ensemble.

Le sourire qu'elle m'adressa à la dérobée me parut plus faux encore que les bijoux de pacotille qu'elle échangeait avec ses copines. Écœurée, je hochai la tête et achevai mon assiette sans un mot.

Après le dessert, quand oncle Reuben se retira dans le salon pour regarder la télévision, Jennifer vint effectivement nous aider à ranger la cuisine et à essuyer la vaisselle. Debout près de moi devant l'évier, elle me murmura :

– Tu ne pouvais pas la boucler un peu pendant le dîner ? Laisse donc papa faire ses discours et ne dis rien qui risque de le contrarier.

– Ce ne sont pas que des discours ; il persécute sa famille, tu ne le vois pas ?

– Et alors ? Tu veux qu'il se fâche réellement et qu'il nous empêche d'aller au match et à la soirée ? Alors, tais-toi, ça vaut mieux.

Elle essuya une autre assiette puis, sans demander son reste, quitta la cuisine.

Où étaient l'amour et la chaleur chez ces gens-là ? Qu'est-ce qui leur donnait davantage qu'à ma mère et moi le droit de s'appeler une « famille » ? Était-ce le toit qu'ils avaient au-dessus de leur tête ou la nourriture qui emplissait leur réfrigérateur ?

Les rares bons moments que j'avais pu passer avec maman me parurent préférables à la tension constante et à la peur qui régnaient dans cette maison. Mais avais-je le choix, aujourd'hui ? Peut-être, en fin de compte, étais-je une erreur. Ou bien quelqu'un que l'on pouvait déplacer et manipuler comme un simple meuble.

Le lendemain, au collège, Jimmy se fit encore

plus entreprenant que la veille. Il se débrouilla pour me rejoindre dans les couloirs entre chaque cours et me tint compagnie pendant le déjeuner. Lorsque je lui demandai si Brad Dillon voulait réellement sortir avec ma cousine, il se contenta de sourire et déclara :

– Je te l'ai dit, je voudrais que tu viennes nous voir jouer. Je suis sûr que tu t'amuseras. Je tâcherai de te repérer dans les gradins.

Lorsque Jennifer demanda à son père de nous conduire au gymnase de l'école, il accepta. Mais ce ne fut qu'en approchant du collège qu'elle lui avoua que nous étions invitées à une soirée après le match. Stupéfait, il arrêta net la voiture, prêt à faire demi-tour pour nous ramener à la maison.

– Quoi ? Quelle soirée ? hurla-t-il d'une voix à nous crever les tympans.

Tranquillement assise à l'arrière, j'écoutai Jennifer débiter ses mensonges.

– Tout le monde y va, papa. Ça se passera chez les parents de Missy Taylor, qui seront là, avec nous. On ne rentrera pas tard. C'est juste une petite fête...

– Et pourquoi ne m'en as-tu pas parlé plus tôt ? interrogea-t-il d'une voix à peine radoucie.

– On vient de se faire inviter. N'est-ce pas, Rebecca ? Missy nous a téléphoné, tout à l'heure.

Je préférai ne rien répondre afin qu'oncle Reuben

ne puisse rien me reprocher par la suite. Dans le rétroviseur, je vis ses yeux se poser sur moi.

– Qui est cette Missy Taylor ?

– Melissa Taylor, précisa Jennifer. Tu connais son père. C'est le propriétaire du *Taylor's Steak House*.

– Un petit restaurant... commenta-t-il avec mépris.

– Ils ont une très jolie maison, en attendant, insista-t-elle.

– Je ne veux pas que vous rentriez tard, grogna-t-il. Soyez à la maison avant minuit. Et, au fait, comment comptez-vous rentrer ?

– Oh, on a un chauffeur. Ne t'en fais pas, papa.

De nouveau il jeta un regard suspicieux à sa fille puis leva les yeux vers moi, toujours dans le miroir.

– Cette histoire ne m'enchante pas du tout. Tu dis que les parents de cette Missy seront là ?

– Sa mère, en fait. Ne t'inquiète pas comme ça, papa. Tu es bien allé à des soirées quand tu avais notre âge.

– Non, ma chère. Je ne suis même jamais sorti avec une fille avant l'université.

Incapable d'imaginer une femme acceptant de sortir avec lui, je ne pus retenir une petite toux sèche. Oncle Reuben me jeta un coup d'œil irrité et remit la voiture en route.

Le match fut passionnant. Jimmy se révéla un joueur extraordinaire, s'emparant du ballon à la moindre occasion, déroutant l'adversaire par des tirs puissants, soutenant l'équipe à lui tout seul et maintenant durant presque toute la partie les quatre points d'avance acquis dès les premières minutes.

Il fit aussi ce qu'il avait promis : il me chercha des yeux dans les gradins et me repéra facilement. Son sourire rendit Jennifer verte de jalousie.

Durant la dernière minute de jeu, Jimmy intercepta et marqua un nouveau panier. Puis, un des joueurs de l'équipe visiteuse manqua de chance et rata un tir. Le ballon fut passé à Jimmy qui parvint à le renvoyer dans le camp adverse. Une prolongation de deux minutes fut accordée. Surexcité, le public hurla et se mit à taper des pieds. Les gradins vibrèrent si fort que je crus qu'ils allaient s'effondrer, et nous avec.

La prolongation fut tout aussi exaltante que la partie elle-même, chaque équipe trouvant le moyen de marquer jusqu'aux trente dernières secondes. Jimmy s'empara du ballon et, après l'avoir gardé le plus longtemps possible, le lança de toutes ses forces. Et, sous les yeux d'une foule qui ne hurlait plus mais retenait son souffle, le ballon vola jusqu'au panier adverse et traversa le filet pour offrir la victoire à notre collège.

Dans un enthousiasme délirant, l'équipe victorieuse entoura Jimmy et, le soulevant à bout de bras, fit faire à son héros le tour du gymnase avant de l'emmener dans les vestiaires.

– Et c'est lui qui t'accompagne à la soirée ! s'exclama Paula Gordon sur un ton à la fois admiratif et envieux.

– Je ne sais vraiment pas pourquoi, lui avouai-je en toute sincérité.

Elle échangea un drôle de regard avec Jennifer et toutes deux, une main sur la bouche, tentèrent de dissimuler un sourire.

Un peu plus tard, les garçons nous rejoignirent sur les gradins pour regarder le match inter-universités, lequel fut loin d'être aussi excitant. Jimmy profita de la mi-temps pour suggérer que nous nous rendions tout de suite à la soirée.

– On va prendre une petite avance sur les autres, qu'est-ce que vous en dites ?

Entassés dans deux voitures, nous partîmes vers la maison des Taylor. Le temps avait changé et une pluie fine ne cessait de tomber, ce qui, loin de nous calmer, nous excita de plus belle. Une fois arrivés chez les Taylor, je m'aperçus que les parents de Missy étaient tous les deux partis travailler au restaurant et découvris ainsi le second mensonge de Jennifer.

C'était effectivement une belle maison, plus grande et bien plus agréable que celle d'oncle

Reuben et tante Clara. Outre le salon, la salle à manger et la cuisine, il y avait quatre chambres à coucher – dont deux restaient inhabitées puisque Missy était enfant unique –, une cave servant de salle de réception et équipée d'un bar et d'un juke-box.

On mit tout de suite de la musique et Brad passa derrière le bar pour servir bières et vodkas. Je n'avais pas envie d'alcool mais tous en prirent, Jennifer en tête, qui prétendit d'ailleurs qu'elle avait l'habitude de la vodka.

– J'en prends à la maison, expliquait-elle à qui voulait l'entendre, et je rajoute ensuite de l'eau dans la bouteille pour que mon père ne le remarque pas.

De ce côté-là, je pouvais lui faire confiance. Pourtant, elle ne tarda pas à se sentir malade et dut bientôt filer aux toilettes pour tout vomir.

– Elle a bu trop vite, commenta Jimmy. L'astuce, c'est de boire lentement. Mais toi, tu vas bien, on dirait. Je vois que tu sais te contrôler.

Je n'avais bu en effet qu'un demi-verre de bière. « Si elle me voyait, maman éclaterait de rire », pensai-je.

– Allez, viens, dit-il. On les laisse à leur beuverie.

– Où est-ce que tu m'emmènes ?

– Tu verras, répondit-il avec un sourire qui en disait long.

Me prenant par la main, il m'entraîna au premier étage où se trouvaient les chambres.

– On n'a peut-être pas le droit de se promener comme ça dans la maison. Les parents de Missy...

– Missy est au courant, coupa-t-il. Ne t'inquiète pas. Il y a déjà eu des soirées, ici ; cette maison est géniale pour ça. Et puis, ses parents ne savent pas ce qu'on boit, ils ne sont jamais là.

« Missy non plus n'a pas vraiment de famille », pensai-je. Y avait-il seulement parmi mes camarades de classe un garçon ou une fille mieux loti que moi ?

Jimmy semblait savoir exactement où aller. Il me conduisit jusqu'à l'une des chambres d'amis dont il referma la porte d'un coup de pied avant de m'embrasser. Ce fut le baiser le plus merveilleux que j'aie jamais reçu. Long, passionné et si fougueux que je crus que ma nuque allait céder sous l'étreinte de Jimmy. Sa bouche collée à la mienne, il laissa ses mains remonter jusque sous mes épaules puis il fit glisser ses lèvres le long de mon cou.

– Tu es délicieuse, murmura-t-il. Exactement comme je t'imaginais...

– Je ne suis pas à manger, répliquai-je en m'efforçant de rire.

J'étais en fait horriblement nerveuse. Il me plaisait beaucoup, je voulais qu'il m'embrasse, mais il allait si vite en besogne que j'en tremblais d'avance.

Déjà, ses mains se promenaient sur mes seins et ses doigts s'affairaient sur les boutons de mon chemisier.

Sans s'interrompre, il m'entraîna pas à pas vers le lit où nous nous retrouvâmes bientôt allongés. Sa bouche se colla sur ma poitrine et il entreprit de dégrafer mon soutien-gorge.

— Attends, dis-je soudain.

— Attends quoi ?

— Je ne veux pas... aller si vite. Et puis, j'ai peur de...

Je n'achevai pas ma phrase. Un sourire figé sur les lèvres, il me rassura :

— Ne t'en fais pas, tu n'auras pas d'ennuis, si c'est ça qui t'inquiète. J'ai ce qu'il nous faut. Tu t'y attendais un peu, non ?

— À quoi... ? Non.

— Qu'est-ce que ça veut dire, « non » ? Tu as accepté de venir ici avec moi. Tu t'attendais à quoi, exactement ? À ce qu'on regarde la télévision en mangeant du pop-corn ? Tu sais très bien où je veux en venir, non ? Et puis, je suis au courant de ta vie ; Jennifer nous a tout raconté.

— Quoi ? m'exclamai-je en le repoussant. Qu'est-ce qu'elle vous a raconté ?

— Hé, qu'est-ce qui t'arrive ? Ne panique pas, tu ne vas pas te faire couper en morceaux. On va juste s'amuser un peu. Ça t'est déjà arrivé, non ?

– Pas de cette façon, répondis-je en me levant. Je ne sais pas ce que Jennifer vous a raconté à tous, mais je ne suis pas ce que tu crois.

– Ne t'inquiète pas, je ne dirai rien. Je ne suis pas du genre à divulguer des secrets d'alcôve.

Il me prit la main mais je reculai.

– Eh bien, moi, je ne suis pas la fille d'une nuit, voilà, répliquai-je en répétant ce qu'un soir maman avait lancé à l'un de ses amants.

Mais, en l'occurrence, elle était plus souvent qu'à son tour la femme d'une nuit.

– Je te pensais plus cool que les autres filles du collège, dit-il, l'air dépité. Pourquoi est-ce que tu crois que je t'ai demandé de sortir avec moi le soir d'un match pareil ?

Devant mon hésitation, il ajouta :

– Allez, Rebecca, je mérite bien une petite récompense.

– Non. Tout ce que tu mérites, c'est un coup de pied aux fesses ou, mieux, entre les jambes. Et c'est ce que tu vas finir par obtenir si tu insistes.

– Bon, d'accord... Dans ce cas, décampe, je ne veux plus te voir.

Offusquée, hors de moi, je me dirigeai vers la porte.

– Toi et ta cousine, vous êtes bien pareilles ! cria-t-il, furieux. Des petites pétasses prétentieuses.

– Oh, je t'en prie, ne me mets pas dans le même sac que Jennifer ! crachai-je avant de déguerpir.

Dans le couloir, j'aperçus Brad qui, le sourire aux lèvres, sortait d'une chambre voisine en remettant de l'ordre dans ses vêtements.

– Brad, où est Jennifer ? On rentre !

– Oh, ça va, j'en ai fini avec elle. Je te la laisse.

Partant d'un éclat de rire, il descendit rejoindre les autres à la cave.

Je poussai la porte entrouverte et vis Jennifer, allongée sur le lit, la jupe relevée jusqu'en haut des cuisses et le chemisier à demi déboutonné. Elle avait l'air de dormir mais j'avais assez souvent vu ma mère dans cet état pour savoir qu'elle n'était qu'inconsciente.

– Jennifer, réveille-toi ! criai-je en la secouant par les épaules. Viens, il faut qu'on rentre !

– Que... ? Quoi... ? Rebecca... qu'est-ce que tu fais là ? Qu'est-ce qui s'est passé ?

L'air totalement groggy, elle balaya la pièce du regard.

– Où est Brad ? On s'amusait bien et puis, tout d'un coup, tout s'est mis à tourner et je... j'ai...

– Viens, Jennifer ! Il faut que tu te lèves, qu'on s'en aille d'ici !

Comme je la forçais à s'asseoir, elle balança ses jambes sur le côté du lit.

– Oh, ma tête ! gémit-elle en s'accrochant au matelas. Je ne suis pas bien, je voudrais rentrer.

– On y va, c'est pour ça que je suis venue te chercher. Mais, d'abord, tu vas me dire tout ce que tu as raconté sur moi à tes copains.

– S'il te plaît, Rebecca, je voudrais rentrer à la maison.

Constatant qu'il était inutile de lui demander quoi que ce soit dans l'état où elle était, je lui passai un bras sous les épaules et l'aidai à marcher puis à descendre l'escalier. Brad se tenait en bas des marches avec un groupe de garçons et ils riaient tous de façon quasi hystérique.

– Quelqu'un peut nous ramener ? demandai-je. Jennifer est malade. Il faut absolument qu'on rentre.

– Faites du stop, suggéra Brad. Vous êtes assez grandes, non ?

Ils se mirent à rire de plus belle.

Écœurée, je continuais à descendre en soutenant tant bien que mal ma cousine, lorsque Missy vint voir ce qui se passait dans l'entrée.

– S'il n'y a personne pour nous ramener à la maison, mon oncle ne se gênera pas pour te créer les pires ennuis, Missy. Surtout avec l'alcool qui circule ici...

– Ramène-les, Brad, ordonna-t-elle avec un sourire de travers. Je ne veux pas m'attirer d'ennuis.

De toute façon, elles sont trop jeunes. C'était une idée stupide que vous avez eue !

— Ça, c'est vrai ! lança Jimmy qui venait d'apparaître en haut de l'escalier.

— Viens, Jennifer, on part, dis-je en l'entraînant vers la porte.

— Allez, on y va, lâcha Brad d'un air agacé. Je ne veux pas manquer le reste de la soirée.

— Oui, on ne veut surtout pas te faire rater ça... marmonnai-je en poussant Jennifer dans le véhicule. Les jambes flageolantes, elle s'affala sur le siège arrière.

— Elle n'a pas intérêt à vomir dans ma voiture.

— En fait, tu n'avais pas envie de l'amener ici, lui dis-je. Pourquoi est-ce que tu l'as fait, alors ?

— Pour rendre service à Jimmy, qui voulait absolument que tu viennes. Mais je n'ai pas l'impression que vous ayez réussi à vous envoyer en l'air, je me trompe ?

Comme je ne répondais rien, il ajouta :

— Mais ce n'est pas grave, on s'est pris du bon temps, Jennifer et moi, finalement.

— On ne s'est pas envoyés en l'air, dis-je enfin.

— Beaucoup de filles veulent sortir avec Jimmy, déclara-t-il comme si j'avais raté une chance en or.

— Eh bien, tu en vois une à qui ça ne dit rien du tout.

– Mais, franchement, tu es une extraterrestre pour ne pas avoir envie de sortir avec lui !

Une extraterrestre ? Peut-être...

Mais, après tout, savoir d'où je venais n'avait pas grande importance. Ce qui comptait, n'était-ce pas là où j'allais ?

7

Fini de s'amuser

Il tombait des cordes lorsque nous arrivâmes à la maison. Sans tenter le moindre geste pour nous aider, Brad attendit, l'air agacé, que j'extirpe péniblement Jennifer de la voiture. Dès que nous fûmes hors du véhicule, il démarra en trombe.

Indifférente à la pluie, et incapable de marcher vite, Jennifer se laissa traîner jusque sous le porche. J'avais espéré m'introduire en douce dans la maison et emmener discrètement ma cousine jusqu'à sa chambre mais, au moment où j'ouvris la porte j'entendis oncle Reuben bondir de son fauteuil et se ruer dans l'entrée.

En voyant sa fille, il écarquilla des yeux horrifiés. Elle était pâle, mouillée de la tête aux pieds, avait les cheveux en désordre et les yeux à demi clos. Appuyée sur moi, elle ne réagit même pas à la vue de son père.

– Qu'est-ce qui s'est passé ? s'étrangla-t-il. Qu'est-ce qu'il y a ? Elle est malade ?

Soulevant les paupières, elle lui jeta un regard pathétique puis, soudain, se mit à rire et à pleurer en même temps.

– Qu'est-ce qui lui arrive ? demanda oncle Reuben, atterré.

– Elle a bu de la vodka, avouai-je.

J'avais pris ma décision : je ne mentirais pas pour la protéger.

– Quoi ? De la vodka... ? Clara !

Aussitôt, tante Clara surgit de leur chambre et apparut sur le palier, vêtue de sa seule chemise de nuit.

– Qu'est-ce qu'il y a, Reuben ?

– Regarde dans quel état est ta fille ! lui lança-t-il en montrant Jennifer d'une main exaspérée.

Pendue à mon bras, un sourire idiot sur les lèvres, elle était parfaitement ridicule. Ses yeux se révulsèrent et elle se colla une paume sur l'estomac.

– Oh... Je ne me sens pas bien, gémit-elle.

Oncle Reuben se tourna vers moi.

– Tu ne m'avais pas dit que les parents de cette Missy Taylor étaient chez eux, ce soir ?

– Moi, je n'ai rien dit, protestai-je tranquillement. C'est Jennifer qui vous l'a assuré.

Les sourcils froncés, il me demanda d'un air soupçonneux :

– Qui lui a fait boire de la vodka ?

– Je suis malade, papa, se lamenta Jennifer. Je voudrais monter me coucher.

– Oh, ma pauvre chérie ! s'écria sa mère en descendant en hâte l'escalier.

Elle prit l'autre bras de Jennifer et nous commencions à monter lentement quand oncle Reuben m'agrippa par l'épaule et me força à me retourner. Puis, avançant tout près du mien son visage aux traits grossiers, il renifla.

– Toi aussi, tu as bu quelque chose, accusa-t-il.

– Oui, un demi-verre de bière.

– Je le savais ! Je savais, quand tu es venue t'installer dans cette maison, que ce genre de chose arriverait.

– Ce n'est pas ma faute ! m'écriai-je en repoussant sa grosse patte de mon épaule. C'est Jennifer, bien plus que moi, qui voulait aller à cette soirée. Elle savait parfaitement ce qui allait se passer.

S'il apprenait ce qui était arrivé d'autre, sa colère n'épargnerait même pas sa petite princesse !

Mais il ne voulut rien savoir. Jennifer trébucha sur une marche et tante Clara dut s'agripper à la rampe pour l'empêcher de tomber. Oncle Reuben se précipita en avant, prit sa fille dans ses bras et grimpa l'escalier aussi aisément que s'il portait un enfant.

– Ne la secoue pas ainsi, Reuben, supplia tante Clara en montant à sa suite.

En atteignant le palier, Jennifer fut à nouveau prise de haut-le-cœur et son père se rua dans la salle de bains.

– Mon Dieu, mon Dieu... gémit tante Clara, le visage entre les mains.

Puis elle me regarda et demanda :

– Comment cela a-t-il pu arriver, Rebecca ?

– Je crois que ce n'est pas la première fois, tante Clara, mais vous ne l'avez jamais su.

J'ignorais ce qui s'était passé exactement entre Jennifer et Brad, ou si même elle avait eu des aventures avec d'autres garçons, mais j'étais à peu près certaine qu'elle préférait que ses parents n'en sachent rien.

Se mordant la lèvre pour ne pas pleurer, ma tante entra dans la chambre de sa fille. À cet instant, oncle Reuben sortit de la salle de bains.

– Va la voir, ordonna-t-il. Fais-lui prendre une douche froide.

Alerté par le bruit, William apparut en pyjama dans le couloir.

– Qu'est-ce qui se passe ? interrogea-t-il en se frottant les yeux.

– Retourne te coucher, dit oncle Reuben avant de me jeter un regard furieux. Maintenant, j'aimerais avoir deux mots avec toi, Rebecca.

– Je n'ai rien fait, protestai-je en redescendant m'enfermer dans ma chambre.

Mais il n'avait pas l'intention de s'en tenir là. Enfonçant littéralement la porte de l'atelier de couture, il se rua dans la pièce comme un forcené.

– Quand je te parle, tu restes là et tu m'écoutes ! hurla-t-il.

– Ce n'était pas ma faute, oncle Reuben ! m'écriai-je, complètement affolée par sa réaction. C'est elle qui voulait aller au match et à la soirée, ensuite. C'est elle qui a poussé les garçons à nous y emmener.

Les yeux exorbités, oncle Reuben chercha à m'interrompre mais je poursuivis en le regardant droit dans les yeux :

– En arrivant chez les Taylor, elle est allée directement au bar et s'est servi un verre de vodka en prétendant qu'elle avait l'habitude de boire. Mais elle a été tout de suite malade. Elle a dû en avaler trop d'un coup et trop vite, pour se rendre intéressante. Je l'ai ramenée ici dès que j'ai pu. Il faut me croire, c'est la vérité.

– Jamais Jennifer n'est allée à une soirée de ce genre, déclara-t-il d'une voix sourde qui n'annonçait rien de bon. Jamais elle n'est rentrée dans cet état. J'ai dans la tête que c'est toi qui es responsable de tout ceci.

– Croyez ce que vous voulez, je ne pourrai pas vous en empêcher, de toute façon.

Je lui tournai le dos pour déplier le lit. Erreur. Sa grosse patte se plaqua sur ma nuque tandis que l'autre s'abattait sur ma hanche. Il me souleva du sol et me projeta sur le canapé, si violemment que je faillis tomber à la renverse en entraînant le meuble avec moi. Sans me laisser le temps de réagir, il défit sa ceinture et la tira de son pantalon.

Horrifiée, je sentis sa main saisir mon slip et le faire glisser sans ménagement sur mes cuisses. Je me mis à hurler à pleins poumons.

– Garce ! me cracha-t-il au visage. Tu n'es qu'une mauvaise graine. Tu arrives dans cette maison et tu dévergondes Jennifer. Mais je ne te laisserai pas faire plus longtemps. Les rebelles comme toi, on les mate, tu vas voir !

Le premier coup de ceinture me choqua plus qu'il ne me fit mal. Je ne pouvais croire ce qui m'arrivait. Sa paume épaisse plaquée sur mon dos, oncle

140

Reuben me maintenait fermement. Il me fouetta de nouveau. Cette fois, je criai de douleur.

– Tu joues des fesses devant les garçons, tu vas dans n'importe quelle soirée, tu bois, et Dieu sait quoi encore ! cria-t-il en bavant de rage. Tu es bien comme ta mère ! Il y a longtemps qu'on aurait dû te fouetter, mais il n'est pas trop tard pour te corriger, c'est moi qui te le dis.

Alors, il me frappa et me frappa encore. Entre hurlements et sanglots, je commençai bientôt à étouffer. Inutile de tenter de m'échapper, sa paume puissante me clouait sur le canapé.

Cessant enfin de me fouetter, il me maintint un moment prisonnière. Les fesses me brûlaient comme si je m'étais fait attaquer par des dizaines de guêpes. Je sentis soudain sa paume me palper le dos avec une douceur surprenante. Peut-être tenait-il à s'assurer qu'il m'avait suffisamment lacéré la peau. Puis il ôta sa main.

Terrorisée, je n'osai ni me retourner ni remuer. Le souffle court, il se releva.

– Peut-être que maintenant tu vas te tenir tranquille, murmura-t-il d'une voix rauque.

Tremblant de tous mes membres, secouée de violents sanglots, je l'entendis sortir de ma chambre et fermer la porte derrière lui. Longtemps, très longtemps je demeurai ainsi, sans bouger, les yeux grands ouverts, attendant que la douleur se dissipe.

Puis, enfin, je me redressai. Si remuer les jambes me fit mal, m'asseoir s'avéra pire encore. Mais je tins bon et, tout en essuyant mes larmes, je tentai de reprendre une respiration normale. Je crois que j'étais encore plus meurtrie par l'humiliation que par les lacérations de ma peau. Lorsque je parvins à me lever, j'eus l'impression d'avoir attrapé un terrible coup de soleil... avec la différence que je n'étais pas allée me faire bronzer sur la plage. Mais, outre les brûlures externes, je ressentais aussi un mal atroce à l'estomac ; un mal dû au dégoût, à l'écœurement.

J'ouvris ma porte, prête à hurler :

« Comment avez-vous osé me faire ça ? »

Le silence inquiétant qui régnait dans la maison me cloua le bec et ma terreur augmenta d'un cran. S'il était capable de faire cela, Dieu seul savait ce qu'il pouvait tenter d'autre ! Sur la pointe des pieds, je filai à la salle de bains et entrepris de poser sur les blessures de mes fesses et de mes cuisses une serviette humide et tiède.

Cela ne me soulagea pas le moins du monde. Je retournai donc dans ma chambre, sans faire de bruit. Au passage, me parvinrent tout à coup les cris d'oncle Reuben et les sanglots étouffés de tante Clara.

J'eus à peine la force de me déshabiller et, quand je m'allongeai, la douleur se fit plus mordante, bien que je me sois couchée à plat ventre. Je ne pus fermer l'œil de toute la nuit et, lorsque, au petit matin, j'eus à peine trouvé le sommeil, un choc brutal me réveilla.

Ouvrant les yeux, je constatai que j'étais inondée d'eau glacée. Je poussai un cri et, malgré la douleur que je ressentais encore, m'assis vivement sur le lit pour découvrir oncle Reuben debout devant moi, un seau presque vide à la main. Malgré moi, je tirai jusqu'au menton l'édredon trempé.

– Tu te lèves et tu vas aider Clara à faire, le ménage, ordonna-t-il sans desserrer les dents. On est samedi, je te rappelle. Ne t'imagine pas que tu vas faire la grasse matinée sous prétexte qu'hier tu t'es comportée comme une garce ! Je vais t'apprendre à quoi ça mène de mal se conduire quand on vit sous mon toit. Je ne suis pas ta mère, je n'accepterai pas ça chez moi. Lève-toi. Et tout de suite !

– Oui, je me lève. Laissez-moi tranquille, maintenant.

Sans m'écouter, il fit mine de m'asperger du reste de l'eau.

– Reuben, arrête ! cria soudain tante Clara du couloir.

Il me toisa pendant une éternité, hocha la tête et quitta enfin ma chambre. Mais, en sortant, il recommanda d'une voix sévère à sa femme :

– Ne la materne pas, Clara. Ce n'est qu'un cheval

échappé qui a besoin d'une discipline de fer. Je vais la dresser, moi...

Lorsque je tentai de me lever, la douleur de mon corps meurtri se réveilla et m'arracha un cri.

– Qu'y a-t-il, Rebecca ? demanda ma tante, alarmée.

– Il m'a battue... Il m'a fouettée avec sa ceinture, hier soir.

Devant son air aussi horrifié qu'incrédule, je me tournai de côté et repoussai l'édredon mouillé pour lui montrer mes jambes et mes fesses zébrées de marques rouges. Elle eut un mouvement de recul avant de murmurer :

– Ô mon Dieu... mon Dieu... Ma pauvre chérie.

– C'est grave ? demandai-je, inquiète.

– C'est tout enflammé. Et puis tu es trempée !

– Il est venu m'asperger d'eau froide parce que je n'étais pas encore debout.

– C'est épouvantable, je n'en crois pas mes yeux. Reuben, comment as-tu pu faire une chose pareille ?

Elle avait parlé trop bas pour qu'il l'entende, comme si elle se demandait à elle-même comment son époux avait pu devenir un tel monstre. Il y avait beaucoup d'autres questions à poser, mais j'estimai que ce n'était pas le moment.

– Je vais chercher de la pommade et des serviettes, me dit-elle. Ne bouge pas, Rebecca. Mon Dieu, ce n'est pas possible...

Ma tante partie, je m'effondrai sur l'oreiller trempé, le sang battant contre mes tempes. Ce qui me torturait était moins la violence injuste dont j'avais été victime que la conviction que je ne pouvais compter sur personne au monde, maintenant que maman s'était fourrée dans un tel pétrin.

Tante Clara était bien trop faible pour tenir tête à oncle Reuben et pour me soutenir. Je n'avais pas d'autre famille, pas de parents chez qui me réfugier, je me trouvais dans une ville inconnue, je fréquentais une nouvelle école où je n'avais pas encore eu le temps de me faire de vraies amies. Je me sentais réellement prise au piège.

– Voilà qui te fera du bien, annonça tante Clara en revenant dans ma chambre. Voyons ce que l'on peut faire. Mais, d'abord, il faut ôter ces draps mouillés, tu vas prendre froid.

Quand elle eut débarrassé le lit du linge trempé, je passai la chemise sèche qu'elle m'avait apportée et me tournai sur le ventre pour la laisser m'appliquer la pommade, qui me procura un certain soulagement.

– Je n'arrive pas à croire qu'il ait pu agir ainsi, continuait-elle de répéter. Mais il était tellement en colère. Il a un caractère si fort...

– Je n'ai jamais poussé Jennifer à boire de la vodka, tante Clara. Ces garçons qui nous ont emmenées là-bas sont ses amis, pas les miens.

— Je sais, mon petit. Je te crois.

— Mais lui ne veut pas croire qu'elle puisse faire quelque chose de mal. Ce n'est pas juste. Ce n'est pas normal.

Tante Clara acheva de me soigner et je m'assis lentement au bord du lit.

— Merci de ce que vous faites pour moi.

— Ne t'inquiète plus, je vais aller lui parler, me promit-elle.

— Ce n'est pas la peine. Il est complètement braqué contre ma mère et moi, et il me déteste parce que je vous pose des problèmes. C'est tout juste s'il ne me reproche pas d'être en vie. Il vaudrait mieux que je parte, en fait.

— Certainement pas. Où irais-tu ? C'est tout à fait impensable, Rebecca. Il va se calmer, tu vas voir. Tout va s'arranger.

— Je ne crois pas que ça s'arrangera, tante Clara. Il ne se calmera jamais. Il est pire qu'un ogre. Et je sais pourquoi il montre tant d'indulgence envers Jennifer.

Je prononçai cette dernière phrase si bas que ma tante ne l'entendit pas ou prétendit ne pas l'entendre. Rapidement, elle se détourna.

— Je vais nous préparer un petit déjeuner bien chaud et tu verras, nous nous sentirons tous mieux. Prends ton temps, mon petit. Ne te presse pas pour venir m'aider.

146

Tante Clara sortie, je me mis à ruminer ma rancœur. Je n'avais qu'une envie : glisser mes mains autour du cou de Jennifer et le tordre jusqu'à ce qu'elle avoue la vérité. Elle n'allait pas s'en tirer à si bon compte. C'était à elle qu'auraient dû aller les coups de ceinture de ce monstre ; elle seule les méritait.

Je sortis prudemment de ma chambre, car l'idée de tomber nez à nez avec oncle Reuben me répugnait. Je n'entendis que le bruit que faisait tante Clara en s'activant dans la cuisine. Jetant un coup d'œil dans la pièce avant d'entrer, j'aperçus William assis à table. Jennifer avait sans doute eu la permission de dormir tard, après ses excès de la veille. Quant à moi, on ne m'avait pas demandé mon avis, bien au contraire.

Une sourde colère s'empara si violemment de moi que je sentis mon visage s'empourprer. La rage au cœur, je fis volte-face et me dirigeai vers l'escalier. Si je devais traîner Jennifer le long de ces marches et la jeter aux pieds de son père pour qu'elle lui crache la vérité, ce serait sans la moindre hésitation.

La porte de sa chambre était entrouverte. Déterminée à l'en extirper de gré ou de force, je m'apprêtais à y entrer en trombe lorsque je perçus des pleurnicheries. La voix de Jennifer, fluette et pathétique, me fit penser à celle d'une gamine de six ans. On était loin de l'effronterie à laquelle elle nous avait habitués. Aussi curieuse qu'intriguée, je tendis l'oreille.

– Papa, je suis tellement désolée. Je ne voulais pas en arriver là, mais Rebecca et les autres filles ont commencé à se moquer de moi. Elles m'ont traitée d'immature, m'ont dit que j'étais un bébé et que je n'avais pas l'âge d'aller à ce genre de soirée.

– Laisse-les dire, ma chérie, l'entendis-je répliquer. N'écoute pas les horreurs qu'elles peuvent raconter sur toi.

Si seulement il connaissait la vérité, que penserait-il de sa petite chérie ?

Un instant plus tard, tante Clara m'appela :

– Rebecca ? Tu es là-haut ?

Sans répondre, je me ruai vers l'escalier mais il était déjà trop tard. Alerté par la voix de sa femme, oncle Reuben bondit de la chambre de Jennifer et, m'apercevant sur le palier, il demanda :

– Qu'est-ce que tu fais là ?

– Je montais voir Jennifer.

– Elle n'est pas bien, ce matin, tu devrais le savoir. Va donc t'occuper du ménage.

– Papa ! gémit soudain ma cousine, derrière lui.

– Allez, file d'ici ! me cria-t-il tandis que je commençais à descendre les marches.

À mi-chemin, je me retournai et vis la porte de Jennifer se fermer lentement.

– Qu'est-ce qui se passe, mon petit ? s'inquiéta tante Clara lorsque je la rejoignis dans la cuisine.

J'hésitai un instant à lui raconter exactement ce qui s'était passé la veille puis me ravisai.

– Rien, tante Clara. Tout va bien.

Je n'allais pas m'abaisser au niveau de Jennifer. Pas encore, tout du moins...

Tante Clara sentait que quelque chose n'allait pas mais s'abstint de m'interroger. Sans doute désirait-elle ignorer autant l'attitude de Jennifer que la terreur qu'inspirait oncle Reuben à son fils. Tout au fond d'elle-même, elle ne pouvait apprécier ce que sa fille devenait peu à peu. Elle était certainement consciente de sa duplicité, de sa fainéantise et de sa méchanceté.

Par ailleurs, je savais qu'elle souffrait de voir William aussi renfermé, non seulement vis-à-vis des étrangers mais aussi de sa propre mère. Elle souhaitait le meilleur pour son fils mais ne savait comment le lui procurer. Mais... sa fille ? Que souhaitait-elle pour elle ?

À force de réfléchir à tout cela, au lieu de lui reprocher sa faiblesse, je finis par avoir pitié de tante Clara. Je n'étais pas dans cette maison depuis longtemps et sans doute étais-je loin d'imaginer ce qu'elle avait pu endurer avant mon arrivée. De toute évidence, elle avait peur d'oncle Reuben, peut-être plus que moi, encore. Il lui suffisait d'élever la voix, de froncer les sourcils, de carrer les épaules pour qu'elle se mette à bégayer et s'aplatisse devant lui en baissant les yeux et en portant les mains à sa poitrine.

Parfois, quand elle ne s'en doutait pas, je l'observais et lisais une profonde tristesse dans son regard ; d'autres fois, je la surprenais en train d'essuyer une larme. Souvent, son travail fini, elle s'asseyait dans son fauteuil à bascule et, inconsciente de ma présence, se balançait doucement, les yeux grands ouverts, fixant le vide.

En aucun cas je ne doutais qu'elle aimait ses enfants et qu'elle avait un jour aimé oncle Reuben. Mais aujourd'hui elle avait perdu toute personnalité et toute fierté ; elle n'était plus que l'ombre de la jeune femme dont je voyais çà et là les photos dans le salon. Une femme dont le visage radieux reflétait l'espoir et la joie de vivre, et dont l'avenir paraissait merveilleux et prometteur. Une femme qui avait toutes les raisons de penser qu'elle serait heureuse avec celui qu'elle venait d'épouser.

Il m'arrivait de songer que certaines personnes pouvaient s'effondrer au beau milieu de leur vie, en se mettant à boire ou à se droguer, ou en perdant la raison quand elles se rendaient compte que leurs rêves s'anéantissaient avant même d'avoir commencé. D'autres mouraient sereines, parfois même au cours de leur sommeil, pour ne revivre qu'au travers des souvenirs de ceux qui les entouraient et les aimaient.

Jennifer n'émergea que tard dans la journée, avec sur le visage son habituelle expression de sarcasme triomphant. J'époussetais les meubles après avoir passé l'aspirateur dans le salon, et oncle Reuben faisait sa sieste au premier étage. William avait émigré dans sa chambre et tante Clara était sortie faire quelques courses.

Se laissant tomber sur le canapé, Jennifer y étala les jambes et, bien sûr, ses pieds encore chaussés. Sidérée par son sans-gêne, j'interrompis mon travail pour lui jeter un regard chargé de reproches.

— Je suis trop fatiguée, me dit-elle. Heureusement qu'on n'a pas école, aujourd'hui.

— Tu sais qu'à cause de toi j'ai eu les pires ennuis avec ton père, déclarai-je. Qu'est-ce que tu es allée raconter sur moi à l'école ? Comment est-ce que tu as osé inventer de tels mensonges ?

— Ta réputation t'a précédée, c'est tout. Je n'ai même pas eu à raconter d'histoires, comme tu dis.

— Tu me fais vraiment pitié, Jennifer. Tu aurais pu au moins dire la vérité à ton père.

— Oui, c'est ça, pour avoir droit à un sermon de trois heures, merci... Tu peux continuer à faire le ménage, je ne te gênerai pas. Arrange-toi seulement pour ne pas faire trop de bruit.

– Tu es vraiment écœurante, répliquai-je en contenant mal la rage qui bouillonnait en moi. Et à tous les points de vue.

– Ça veut dire quoi, « à tous les points de vue » ? interrogea-t-elle en ouvrant des yeux ronds. Ça ne t'est jamais arrivé de trop boire ? Chez toi, ça devait pourtant être quelque chose d'habituel.

– Eh bien, figure-toi que ça ne l'était pas, tout au moins en ce qui me concerne.

Je la dévisageai un moment, en me demandant si j'aurais ou non le courage de lui parler franchement. Finalement, je me lançai :

– Je ne comprends pas comment tu as pu laisser Brad te faire ça. C'est à croire que tu n'as aucun amour-propre.

– De quoi est-ce que tu parles, Rebecca ? Qu'est-ce que tu vas encore inventer pour essayer de te tirer d'affaire ?

– Tu sais très bien de quoi je parle. Et tu sais que je n'invente rien.

Jennifer resta impassible. Puis elle détourna son regard avant de secouer la tête et de déclarer :

– Non, je ne sais pas de quoi tu parles et, de toute façon, tu n'as pas intérêt à raconter des choses qui mettraient papa en colère, je te préviens.

– Il est déjà furieux.

Laissant tomber le chiffon à poussière, je défis mon pantalon et le baissai ainsi que mon slip pour découvrir mes cuisses et mes fesses lacérées.

– Pouah ! s'exclama-t-elle en faisant la grimace.

– Il a adoré me faire ça, si tu veux savoir. C'est un sadique doublé d'un pervers.

Sur ce, je remontai slip et pantalon et repris mon chiffon.

– Arrête ! s'écria Jennifer en bondissant du canapé. Je t'interdis de dire ça ! C'est mon père et, s'il t'a punie, c'est parce que tu as fait quelque chose de mal. Il est très gentil et il a beaucoup d'affection pour moi.

– En réalité, tu as une trouille bleue de lui, articulai-je en m'approchant pour la regarder droit dans les yeux. Tu as raison, d'ailleurs, d'avoir peur. S'il savait comment tu te comportes en réalité, tu aurais droit à une punition cent fois pire que la mienne.

– Arrête ! murmura-t-elle en tapant nerveusement du pied. Il pourrait t'entendre.

– Qu'est-ce qui se passe, en bas ? retentit soudain la voix d'oncle Reuben.

Jennifer se figea et me jeta un regard suppliant.

– Alors, est-ce que je dois lui dire ? insistai-je en baissant le ton. Est-ce que je dois lui dire ce qui s'est réellement passé la nuit dernière ?

Elle réfléchit deux secondes, m'imaginant sans doute en train de tout raconter à oncle Reuben.

– Rien, papa ! répondit-elle enfin.

– Alors, mettez-la en veilleuse, s'il vous plaît. J'essaie de dormir un peu car, la nuit dernière, je n'ai pas beaucoup fermé l'œil, grâce à une certaine personne.

– D'accord, papa, promit-elle. Rebecca est désolée.

– Tu es encore plus malade que lui, ma pauvre fille, commentai-je en levant les yeux au ciel.

– Tu es jalouse parce que tu n'as pas de père, lâcha-t-elle alors avec un regard brillant de larmes et de haine. Tu n'as jamais eu de père. Ta mère est une traînée et une droguée, et tu ne l'as même plus auprès de toi.

Sa voix vibrait d'une jubilation malveillante.

– Non, je ne l'ai plus. Mais moi, au moins, il me reste un peu d'amour-propre.

Lui jetant le chiffon à la figure, je sortis d'un pas rageur, non sans la bousculer au passage.

– Je ne vois pas qui pourrait te respecter, de toute façon ! cria-t-elle comme je m'enfermais dans ma chambre. Tu es pire qu'une orpheline. Tu n'es rien. Tu n'as même pas de nom ! Je le sais, papa m'a dit que ta mère ne s'était jamais mariée ; alors, c'est facile d'accuser les autres. Tu es une enfant illégitime, voilà !

Elle avait raison, bien entendu, mais je préférais

encore n'être personne plutôt qu'une enfant légitime, affligée d'un tel père !

– Je vous ai dit de vous taire, en bas ! rappela la « douce » voix d'oncle Reuben.

– C'est bon, papa ! lui lança Jennifer du bas de l'escalier. Je vais faire un tour chez Paula. Si tu entends encore du bruit dans cette maison, ça ne viendra pas de moi.

Un instant plus tard, je l'entendis sortir et fermer la porte derrière elle, puis le silence s'installa.

Assise sur le lit ouvert, je restai songeuse un long moment puis m'approchai de la fenêtre. Dehors, il faisait gris et maussade. Jennifer pouvait être contente : je ne dirais rien à oncle Reuben. En quel honneur me croirait-il ? Je garderais donc son petit secret. Pour l'instant...

C'est alors que j'aperçus une femme au coin de la rue, qui semblait attendre, debout, sous un érable. Elle portait un imperméable et était coiffée d'un bandana, exactement comme le faisait ma mère.

– Maman ? murmurai-je malgré moi, les yeux emplis de larmes.

Puis elle tourna les talons et disparut dans la rue adjacente.

Sans réfléchir, je bondis hors de ma chambre et me précipitai dehors. Je traversai l'allée en courant puis remontai la rue jusqu'au coin. Mais, le temps d'arriver à l'angle, il n'y avait plus personne.

Essoufflée, déçue, je restai là quelques instants, avec l'espoir d'apercevoir une silhouette. Avais-je imaginé tout cela ?

– Maman ! hurlai-je, cette fois-ci.

Ma voix s'évanouit, emportée par le vent. Et la rue demeura désespérément déserte.

Était-ce réellement ma mère que j'avais vue ? Je l'espérais de tout mon cœur. Elle avait pris le risque de passer sous les fenêtres de son frère pour m'assurer qu'elle pensait à moi, qu'elle se souciait de moi, qu'elle m'aimait un peu, même si elle n'était pas revenue me chercher.

Mais peut-être aussi désirais-je tant la voir que je finissais par l'imaginer, debout dans la rue, sous cet arbre, en train de m'attendre.

Revenant alors à la dure réalité, je dus me persuader que ce n'était qu'un rêve, une illusion, un espoir emprisonné dans une bulle qui, en éclatant, venait de me laisser plus perdue et abandonnée que jamais.

Je fis donc demi-tour et retournai vers l'enfer qu'était devenue pour moi cette maison.

8

L'innocence perdue

Mr Martin, le conseiller d'éducation de mon ancienne école, m'avait dit un jour qu'il était plus difficile de se regarder soi-même que de regarder les autres. Il avait reçu à mon sujet des plaintes de plusieurs professeurs et, lorsqu'il m'en avait fait la liste, j'avais trouvé une excuse pour chacune d'entre elles. J'étais si douée dans l'art de l'esquive qu'il avait fini par se rasseoir dans le fond de son siège en éclatant de rire.

– Tu ne crois pas la moitié de ce que tu dis, Rebecca. Et tu sais très bien que, moi non plus, je n'en crois pas un mot. Mais laisse-moi te dire ceci : ton irresponsabilité, ta négligence et ta tendance à tout gâcher prouvent que tu as un net penchant pour l'autodestruction.

Il se pencha vers moi et, croisant les mains sur son bureau, il ajouta :

– Tu veux savoir ce que je pense ?

Son visage encadré de cheveux roux était constellé de fines taches de rousseur, et son regard d'un vert intense savait se faire pénétrant quand il le fallait. Il réservait toujours un bonjour amical à ceux qu'il croisait et jamais je ne l'ai vu perdre sa bonne humeur devant quiconque. Il savait très bien, cependant, amener un élève difficile à faire son autocritique. Il lui parlait doucement, avec sincérité, et agissait comme s'il était le grand frère de chacun, prenant à cœur ses contrariétés, ses déceptions, et forçant son interlocuteur à se montrer honnête.

M'attendant à une véritable salve de reproches, je tremblais de tous mes membres et, gênée par son regard intense, gardais les yeux baissés.

– Non, articulai-je enfin. Mais j'imagine que vous allez quand même me le dire.

– Oui, Rebecca. Je pense que tu es une jeune fille très en colère, révoltée par la vie et que tu as peur de blesser quelqu'un au moindre faux pas de ta part. Pourtant, la seule personne que tu risques de blesser, c'est toi-même.

Sentant les larmes affluer, je me détournai brusquement. Peu de gens réussissaient à traverser le rempart dont je protégeais mes sentiments ; et, les rares fois où quelqu'un y parvenait, je me sentais totalement nue, sans défense aucune.

– Ta mère ne répond pas à mes appels téléphoniques, ni à mon courrier. Elle n'est jamais disponible pour rencontrer l'un ou l'autre de tes professeurs.

– Qu'elle vienne les voir ou pas, je m'en fiche, rétorquai-je sur un ton sec.

– Non, tu ne t'en fiches pas, Rebecca, je le sais. Il est vrai que, la plupart du temps, nous ne pouvons pas changer de jeu. Nous sommes obligés de nous débrouiller avec les cartes que nous avons reçues. Ce qui n'est pas toujours une mince affaire, n'est-ce pas ?

– Je ne sais pas de quoi vous parlez, monsieur. J'ai raté quelques contrôles, et alors ? C'est toujours moi que les professeurs choisissent comme exemple de mauvaise attitude parce que je suis une cible facile. Il y en a d'autres qui parlent en classe, qui se passent des messages, qui oublient leurs livres ou leurs devoirs et qui, ensuite, n'ont pas la moitié des ennuis qui me retombent dessus.

Mr Martin eut un sourire indulgent.

– Je me souviens que, lorsque je faisais partie de l'équipe universitaire de basket et que je donnais à mon entraîneur des excuses de ce genre, il se mettait à lever et à baisser les jambes comme s'il avançait dans un marais et luttait contre l'enlisement. Tu comprends ce que je veux dire ?

La gorge sèche, je me contentai de baisser les yeux.

– Très bien, Rebecca, je ne vais pas te garder plus longtemps. Réfléchis à ce dont nous venons de discuter et sache que je suis là, à ta disposition, si tu as besoin de parler de quoi que ce soit.

Je me levai rapidement pour fuir au plus vite son regard scrutateur et ses questions dérangeantes. Dès que j'eus quitté son bureau, je filai vers les toilettes et me regardai dans la glace. J'avais les yeux rouges d'avoir lutté pour retenir mes larmes. Mr Martin avait raison : il était très pénible de m'examiner, surtout après qu'il eut brandi devant moi le miroir de la réalité et de la vérité.

En repensant à cet épisode de ma vie, je compris combien il devait être dur, sinon impossible, pour Jennifer de contempler son reflet dans la glace. Tout le monde dans la maison de mon oncle souffrait de ce même aveuglement forcé, surtout tante Clara qui non seulement détournait les yeux ou les gardait baissés, mais aussi prétendait ignorer les problèmes de chacun d'entre nous.

Mon entretien avec Mr Martin m'avait laissée avec un grand sentiment de culpabilité et de pitié envers moi-même. Beaucoup des élèves qui montraient une attitude négative ou obtenaient de mauvais résultats sortaient de son bureau très en colère contre lui pour les avoir forcés à se regarder dans le miroir. Je m'attendais au même genre de comportement de la part de Jennifer. Après tout, n'avais-je pas menacé de tout raconter à oncle Reuben ?

La fin du week-end se déroula comme d'habitude. Je restai dans mon coin, fis les tâches ménagères qui m'incombaient ainsi que mes devoirs. Tante Clara me proposa à plusieurs reprises de les rejoindre au salon pour regarder la télévision mais, chaque fois que j'acceptais, je sentais le regard d'oncle Reuben me consumer littéralement. Et, lorsque je le regardais à mon tour, il prenait un air dégoûté ou irrité.

Il me donnait l'impression d'être de trop, de gêner tout le monde. C'était comme si je devais le remercier de me laisser respirer l'air de cette maison, et je savais qu'il ne m'offrirait rien de bon cœur. Cela dit, je n'attendais rien de cet homme et je souffrais de dépendre de lui pour la moindre chose. Il parlait souvent du fardeau que représentait une famille, mais ce n'était pas lui qui supportait le poids de toute cette détresse. C'était moi.

Si je parvenais à oublier ne serait-ce que quelques instants la piètre qualité de nos relations, Jennifer se faisait un plaisir de me la rappeler. Elle m'avait laissée tranquille la plus grande partie du week-end mais, le lundi matin, elle s'empressa de rejoindre ses amies à l'arrêt du bus, sans m'attendre, comme si je ne sortais pas de la même maison qu'elle. Notre amitié de courte durée, qui n'avait servi qu'à lui permettre de se rendre à la soirée, était bel et bien morte.

Ironiquement, parce qu'elle s'était enivrée à s'en rendre malade et avait batifolé avec Brad, elle devenait plus qu'une héroïne pour ses copines. Celles-ci attendaient avec une impatience non dissimulée de connaître les détails croustillants de ses aventures, comme si le fait de vomir tripes et boyaux chez les parents d'une autre relevait d'un acte exceptionnel.

Je m'installai à l'avant, à côté de Clarence, mais il fut difficile d'ignorer les rigolades et les gloussements qui nous parvenaient du fond du bus. Je dus attendre la fin de la matinée pour enfin comprendre pourquoi tant d'élèves me regardaient en souriant, en pouffant de rire ou en secouant la tête. J'allais déjeuner avec Terri lorsque j'en croisai quelques-uns dans le couloir. Ils m'appelèrent et nous obligèrent à nous arrêter.

– On dirait que tu as passé un sacré week-end, Rebecca.

– Tu peux encore marcher ? C'est bizarre...

– Qui est le prochain sur ta liste ?

– C'est vrai ce qu'on raconte sur les filles qui ont du sang latin ?

Personne, bien sûr, n'attendait de réponse. Ils continuèrent leur chemin en s'esclaffant bruyamment.

– Mais de quoi est-ce qu'ils parlent ? demanda Terri qui ne comprenait rien.

– Je ne sais pas.

Plus tard, cependant, à la cafétéria, je lui révélai dans le détail ce qui s'était passé chez Missy Taylor.

– Ainsi, tu as repoussé notre bel Apollon ? dit-elle avec un sourire. Ce n'est pas lui qui ira crier ça sur tous les toits, tu peux en être certaine.

– Qu'est-ce que tu veux dire ?

Jimmy et Brad s'étaient assis à la table du clan de Jennifer et tous bavardaient et gloussaient sans vergogne. Ils se retournaient de temps à autre vers moi et, sur la remarque de l'un d'entre eux, éclataient tous d'un rire méchant. Peu à peu, je sentis l'humiliation et la rage grandir en moi.

– Je ne sais pas ce qui se passe m'écriai-je en me levant, mais je crois que ça va mal finir !

– Qu'est-ce que tu vas faire ? s'inquiéta Terri.

– Regarde...

D'un pas ferme et décidé, je traversai la cafétéria ; les rires et les moqueries s'évanouirent comme par enchantement. Quand je me plantai devant la table de Jennifer, tous se turent et me regardèrent.

– J'ai cru comprendre que tu racontais des histoires à mon sujet, Jimmy, dis-je en le fixant.

Il haussa les épaules.

– Eh bien, oui. Il arrive même que, dans certains cas, on n'ait rien à inventer.

Jennifer grogna dans son coin et les autres eurent un rire gêné.

– Dans ton cas, pourtant, je peux dire que c'est inventé à quatre-vingt-dix pour cent, rétorquai-je. Je n'ai pas eu besoin de passer plus de cinq minutes avec toi pour comprendre pourquoi tu es toujours à la recherche d'une nouvelle fille.

Tous les sourires s'effacèrent d'un coup. Prenant une longue inspiration pour se donner une contenance, Jimmy tourna vers moi un regard inquiet.

– Ça veut dire quoi, exactement ?

– Que tu te débrouilles nettement mieux au basket que dans un lit, mon cher. J'imagine que tu gaspilles tous tes talents dans la salle de sport et qu'il ne te reste plus rien pour la suite. Si tu continues à inventer des histoires sur moi, je raconterai à tout le monde pourquoi je t'ai planté là si vite, l'autre soir chez Missy.

Durant un instant, Jimmy demeura muet comme une carpe. Ses camarades avaient maintenant les yeux braqués sur lui, impatients d'entendre sa réponse. Je ne connaissais pas de meilleur moyen d'effrayer un garçon comme Jimmy que de remettre sa virilité en question et d'attaquer sa réputation de tombeur.

– Hein... ? fut-il seulement capable d'articuler.

Je pivotais pour repartir quand Jennifer me lança :

– N'essaie pas de te couvrir, Rebecca. C'est

toujours toi qui fiches tout en l'air. Voilà pourquoi tu te retrouves à faire la servante chez moi.

Les rires fusèrent à nouveau.

Je me figeai un instant puis, lentement, me rapprochai de leur table.

– Moi ? Me couvrir ? répétai-je en la fusillant du regard.

Prenant alors un air lamentable, je me mis à gémir :

– Papa, il faut que tu me croies, je ne voulais pas vomir partout... C'est à cause de Rebecca.

– Tais-toi ! hurla-t-elle.

– Je suis une gentille fille... La gentille fille de mon petit papa qui n'aime que moi !

Autour de nous, chacun retenait son souffle. Cramoisie, Jennifer se leva, saisit un bol à demi plein de soupe à la tomate et me le jeta à la figure. Le liquide encore chaud m'éclaboussa le visage et les habits tandis que le récipient de plastique allait heurter le sol en rebondissant.

Mr Wizenberg, le surveillant de la cafétéria, se rua vers nous.

– Qu'est-ce qui se passe, ici ? Qui a fait ça ?

Ils le regardèrent d'un air consterné mais personne ne répondit.

– Qui vous a jeté ça ? me demanda-t-il alors.

– Personne. Il a volé tout seul.

Jamais je ne dénoncerais personne, avais-je décidé, même pas pour créer des ennuis à Jennifer.

Perplexe, Mr Wizenberg envoya toute la tablée dans le bureau de Mr Moore, le proviseur. Dans l'impossibilité d'obtenir la moindre explication, celui-ci mit tout le monde en colle et envoya des lettres à chaque famille. Bien sûr, tous trouvèrent le moyen de me blâmer pour ce qui venait d'arriver.

Jennifer n'attendit pas l'arrivée des lettres pour pleurnicher auprès de son père en prétendant que j'avais provoqué l'incident. Mais, cette fois-ci, tante Clara intervint sans laisser à son mari le temps de défaire sa ceinture.

– Non, Reuben, ne fais pas cela, dit-elle en lui posant une main sur le bras. Je suis sûre qu'elle n'est pas entièrement coupable de ce qui est arrivé et, de toute façon, tu l'as déjà bien assez punie.

L'intervention de tante Clara ne fit sans doute qu'aggraver sa colère mais il ne dit mot. Il se contenta de pointer un index menaçant sur moi et de m'incendier du regard, ce qui me parut encore plus effrayant. On aurait dit un monstre, ou un psychopathe, tout à fait capable de meurtre.

Sans attendre, je me retirai dans ma chambre et le laissai calmer sa rage avec tante Clara.

– C'est elle qui a besoin de discipline, tu ne comprends donc pas ? expliqua-t-il d'une voix vibrante. On ne pourra pas la garder plus longtemps

166

avec nous si tu n'essaies pas de la contrôler un peu. Regarde tous les ennuis qu'elle nous a causés depuis qu'elle est dans cette maison. Alors, je te demande de ne plus intervenir entre nous, c'est compris ? Tu m'entends, Clara ?

– Oui, Reuben, oui... J'irai lui parler.

– Avec ce genre de fille, parler est inutile. C'est trop tard, elle est déjà allée trop loin. Tu ne peux plus rien pour elle. Son seul espoir, c'est moi.

Si c'était lui, mon seul espoir, alors je n'avais plus qu'à mourir.

Lorsque les lettres arrivèrent, il punaisa la mienne à l'intérieur de la porte de ma chambre.

Et ne t'avise pas de l'enlever, dit-il. Je veux que tu la voies chaque fois que tu sortiras de cette pièce.

– Et celle de Jennifer ? demandai-je avec audace. Vous allez aussi la punaiser à sa porte ?

– Ne t'occupe pas de Jennifer. Occupe-toi de toi-même. C'est bien assez.

Il m'était impossible de dissimuler les émotions que trahissait mon visage et je le vis pencher la tête de côté tandis qu'il me dévisageait, ses yeux me transperçant comme de minuscules microscopes pour observer jusqu'à la moindre de mes pensées.

– Tu as peut-être berné Clara avec tes petits airs innocents, déclara-t-il, mais je connais ta mère. Je connaissais ton père. Je sais d'où tu viens. Tu ne peux pas me piéger ; ça ne marchera pas avec moi.

– Si ma mère était aussi mauvaise que ça, vous devez bien être comme elle. Vous êtes son frère vous êtes issus des mêmes parents, vous avez grandi ensemble. Vous n'êtes pas parfait, vous non plus. Vous aussi, vous avez de mauvaises actions à vous reprocher.

Ma tirade à peine achevée, je sus que j'étais allée trop loin. Mais jusqu'à quel point, je l'ignorais encore.

Il pénétra plus avant dans ma chambre.

– Qu'est-ce qu'elle t'a dit ? interrogea-t-il d'une voix blanche. Elle t'a raconté des mensonges sur moi, c'est ça ? Vas-y, crache ce que tu sais. Crache les saloperies qu'elle a pu inventer sur mon compte !

– Il... il n'y a rien à dire, balbutiai-je, le cœur battant.

– Je ne lui ai jamais rien fait. Si jamais je t'entends une seule fois prétendre le contraire, je te jure que je t'arracherai la langue.

Il s'approcha encore et, tremblant de tous mes membres, je crus qu'il allait me bondir dessus comme une bête sauvage. Il poursuivit ses invectives :

– Elle avait des manières honteuses ; elle se baladait à moitié nue ; elle racontait tout ce qui lui passait par la tête et elle essayait de m'attirer dans ses pièges diaboliques. Eh bien, je lui ai montré moi !

168

Heureusement qu'elle a fini par s'en aller ; sauf qu'elle n'est pas partie assez loin.

Je sentais son souffle chaud sur mon visage mais je ne bronchai pas. Retenant mon souffle, je fermai les yeux et prétendis simplement être quelqu'un d'autre. Après ce qui me parut une éternité, il fit volte-face et sortit de la chambre, me laissant dans un horrible silence glacé. Je n'osais plus penser, ni même imaginer ce qu'il voulait dire au sujet de maman.

Brusquement, j'éprouvai le besoin d'aller respirer de l'air frais. Je passai un gilet et sortis sans prévenir personne. Dans notre quartier, chaque maison était assez espacée de sa voisine. Au moment où je mis le pied dehors, je ne vis pas âme qui vive. Frileusement, je croisai les bras sur ma poitrine et me mis à marcher, la tête basse, sans faire attention à la direction que je prenais.

Absorbée par mes pensées, je ne me rendis même pas compte que je venais de traverser la rue.

– Ohé !

Je levai la tête et aperçus Clarence Dunsen, mon compagnon de bus. Un sac-poubelle à la main, il s'apprêtait à le jeter dans le container installé au coin de la rue. Je m'arrêtai, surprise de constater où mes pas m'avaient amenée.

– Où... où vas-tu, co... comme ça ?

– Je me promène, c'est tout.

Il se débarrassa de son sac puis attendit en me regardant. À quelques mètres de lui, s'élevait une modeste bâtisse de style ranch mexicain.

– Tu habites ici ? demandai-je.

La maison, à la façade blanchâtre et aux volets sombres, était entourée d'une pelouse soigneusement tondue et bordée de haies. À l'angle du jardin, se dressait un grand érable rouge. La porte du garage était ouverte et l'on y apercevait, garés côte à côte, un break et une camionnette. Je vis aussi une bicyclette accrochée à un mur et des outils de jardinage alignés sur un autre.

– Oui, reprit Clarence. Je vis... d... dans la... la cave.

Cette réponse m'arracha un sourire étonné.

– La cave ? Tu vis dans la cave ?

– Oui. C'est... c'est là où je d... dors et... tout. J'ai... J'ai mon entrée ind... dépendante.

Mon incompréhension dut être visible car il ajouta :

– V... viens. Je vais te... te montrer.

D'un geste, il me fit signe de le suivre. J'hésitai un instant, me retournai vers la rue déserte et me décidai enfin à l'accompagner. Derrière lui, je descendis un petit escalier de ciment menant à la porte du sous-sol.

– Voilà, annonça-t-il en l'ouvrant.

– Alors, tu vis ici ?

– Eh b... bien oui. Tu... tu veux voir ?

Personne ne m'avait dit où vivait ce garçon, pas même Jennifer. Mais il était vrai que personne non plus ne prêtait beaucoup d'attention à Clarence, sauf, bien sûr, quand il s'agissait de se moquer de son bégaiement.

Je le suivis dans son antre. C'était une pièce de taille assez réduite, meublée le plus simplement du monde d'un bureau, d'une chaise, d'un lit et d'une armoire sur laquelle trônait un poste de télévision. Deux appareils électriques, situés de chaque côté de la chambre, diffusaient leur chaleur durant l'hiver.

Le sol était recouvert de linoléum brun sur lequel on avait jeté un tapis tressé de couleur beige. De sous le lit dépassaient quelques paires de baskets élimées et des vêtements traînaient çà et là sur les meubles. Des magazines, des livres et quelques boîtes de puzzle s'entassaient sur une étagère de fortune.

– Tu es vraiment obligé de vivre ici ? demandai-je malgré moi.

Dépourvue de fenêtre, la pièce n'était éclairée que par deux lampes.

– C'est le n... nouveau mari de... de ma... mère qui a tout ins... installé pou... pour moi à cause du b... bébé. On lui a d... donné ma... ma chambre.

Les murs de ciment étaient constellés de craquelures et une odeur de moisissure montait du sol. Cet

171

endroit ressemblait davantage à une oubliette qu'à une chambre à coucher. Pourquoi la mère de Clarence avait-elle accepté de le voir descendre dans cette cave ? Au-dessus de nos têtes, j'entendais des bruits de pas, des chaises que l'on traînait d'un endroit à un autre, et les cris d'un bébé.

– C'est D... Donna Marie, me dit-il.

– Et où est ta salle de bains ?

– En... haut. Tu veux v... voir ?

– Non, non. Je me posais juste la question. Tu aimes les puzzles ?

– Oui, ça me... dis... trait. Qu... quand j'en ai fini un, je... je le d... défais et je rec... recommence.

Je me mis à rire, ce qui lui extirpa un de ses rares sourires.

À cet instant, quelqu'un ouvrit la porte du sous-sol et je vis apparaître un homme grand et maigre, aux cheveux sombres. C'était probablement le beau-père de Clarence. Vêtu d'un maillot de corps blanc, d'un jean usé et de vieilles pantoufles, il n'était pas rasé et son visage semblait avoir été taillé à la serpe. Ses grands yeux noirs et las semblèrent s'illuminer quand il m'aperçut.

– Vous êtes qui ? interrogea-t-il d'un air plutôt aimable.

– Rebecca Flores.

– Qui est-ce, Clarence ? demanda-t-il à son beau-fils en souriant. Une petite amie... ?

172

– Nnnn... non, répondit Clarence en rougissant jusqu'aux oreilles avant de me jeter un regard apeuré.

– Je suis une voisine, répliquai-je poliment. J'habite chez mon oncle.

– Qui est-ce ?

– Reuben Stack.

À ces mots, son sourire s'élargit.

– Ah, Reuben ? Il n'a jamais parlé de vous. Je travaille avec lui.

Il se tourna vers Clarence et poursuivit

– On se demandait pourquoi tu ne remontais pas après avoir vidé la poubelle. C'est l'heure de passer à table. Je ne veux pas vous interrompre, tous les deux, mais... Revenez plus tard, Rebecca, si vous voulez.

– Non, ça ira. Je te verrai demain, Clarence. Au revoir.

– Vous êtes sûre de ne pas vouloir revenir ce soir ? insista son beau-père.

Ignorant sa question, je me dirigeai vers la porte. Comme je remontais à la hâte les quelques marches qui ramenaient au niveau de la rue, je l'entendis rire derrière moi.

Plaignant Clarence plus que moi-même, je me dépêchai de reprendre le chemin de la maison. Mais où était la famille américaine idéale, celle qu'on nous montrait au moins un soir sur deux à la télévision ? Il était donc possible d'avoir des parents et de se sentir orphelin.

– Où diable étais-tu passée ? cria oncle Reuben lorsque je rentrai.

– Je suis allée faire un tour.

– Tu n'as pas vu que c'était l'heure du dîner ? Tu sais bien que tu dois aider Clara à la cuisine !

Sans répondre, je me hâtai de la rejoindre.

– Jennifer a déjà mis la table, lança-t-il sur un ton sec.

– Toute seule ? ironisai-je.

– Tu te crois maligne, avec tes plaisanteries ? Va donc aider Clara à servir et, la prochaine fois, préviens quand tu sors, tu m'entends ?

– Bien, monsieur ! dis-je en esquissant un salut militaire.

Il me jeta un regard noir mais je continuai vers la cuisine en l'ignorant. Silencieuse, l'air tendue, tante Clara s'affairait à remplir les plats. J'eus alors le sentiment qu'elle aussi avait eu droit aux reproches d'oncle Reuben.

– Je suis désolée, tante Clara, je suis en retard...

– Tiens, emporte ce plat, mon petit, dit-elle en me tendant un bol de purée.

En entrant dans la salle à manger, je trouvai Jennifer installée devant son assiette, un sourire satisfait sur le visage. William me parut aussi sombre et renfermé qu'à l'accoutumée et oncle Reuben, quant à lui, trônait à sa place, ses grands bras de singe étalés sur la table, attendant qu'on serve le roi qu'il prétendait être.

– Il était temps, remarqua Jennifer. Je meurs de faim. Comme tu peux le voir, j'ai mis le couvert à ta place.

Après avoir posé la purée sur le chauffe-plat, j'observai d'un œil critique le travail de ma cousine.

– Les fourchettes sont du mauvais côté, dis-je d'un air suffisant.

Puis je regardai William qui, aussitôt, me gratifia d'un petit sourire. Sans ajouter un mot, je retournai à la cuisine avant que Jennifer ait eu le temps de trouver une réplique acerbe.

Durant ce dîner comme durant tant d'autres, oncle Reuben ne cessa de donner son opinion sur les jeunes et sur les femmes en général. Le monde entier devenait incontrôlable. Les valeurs n'existaient plus et les structures essentielles du pays volaient en éclats. Tout était la faute des femmes qui se montraient trop exigeantes et des enfants qui étaient mal élevés. Il n'y avait plus aucune discipline, l'éducation allait à vau-l'eau et ainsi de suite.

Personne n'osa bien sûr le contredire, mis à part moi-même. Histoire de le contrarier, je tentai à plusieurs reprises de le noyer sous un flot de réflexions, mais il se mit alors dans un tel état que, par pitié pour tante Clara, je dus m'arrêter. Hurlant et tapant du poing sur la table, il n'avait plus qu'une idée : amener de gré ou de force la famille entière à son opinion personnelle.

Les seuls mots que tante Clara osa prononcer furent ceux-ci :

– Ne t'échauffe pas quand tu manges, Reuben, je t'en prie.

Dès la fin du dîner, je me précipitai à la cuisine pour nettoyer et ranger la vaisselle. Comme d'habitude, Jennifer se leva sans même prendre le soin d'emporter son assiette et ses couverts et monta directement dans sa chambre. William avait manifestement envie de proposer son aide mais il se retint pour éviter de provoquer un nouvel accès de colère. Son père ne venait-il pas de déclarer que les femmes se déchargeaient de plus en plus de leur travail sur les hommes et que cela ne faisait qu'ajouter aux nombreuses tares de ce pays ?

Quand j'eus terminé à la cuisine, je me rendis à mon tour dans ma chambre pour finir mes devoirs. Assez vite, je devinai que Jennifer était redescendue au salon pour regarder la télévision en compagnie de ses parents. Son rire strident qui perçait le mur me scandalisa. Pourquoi n'exigeait-on pas d'elle qu'elle aille finir ses devoirs, elle aussi ?

Le téléphone sonna soudain et, un instant plus tard, on ouvrit brutalement ma porte.

– Qu'est-ce qu'il y a ? demandai-je en me tournant à demi.

– Où étais-tu, tout à l'heure ? rugit oncle Reuben en repoussant le battant derrière lui. Réponds-moi !

– Je vous l'ai dit, je suis allée faire un tour.

– Tu mens ! Tu es allée chez les Dunsen. Ce n'est pas vrai ?

– J'ai rencontré Clarence dans la rue et il a voulu me montrer sa chambre, dans le sous-sol de sa maison.

Oncle Reuben afficha un sourire aussi glacial que méprisant.

– Tu sais que ce garçon est un retardé ?

– Ce n'est pas un retardé. Il a juste un problème d'élocution.

– C'est facile de profiter de sa faiblesse, hein ? Qu'est-ce que tu essayais de faire avec lui ? De le séduire, c'est ça ?

– Non ! m'écriai-je. Ce n'est pas vrai ! Laissez-moi tranquille.

– Tu vas me répondre d'abord. Figure-toi que j'ai reçu le coup de fil d'un homme qui travaille pour moi au bureau ; il raconte qu'il t'a surprise avec son beau-fils. Et notre réputation dans le quartier, qu'est-ce que tu en fais ?

Les yeux pleins de larmes, je me détournai. S'il y avait une personne dans cette maison qui s'amusait avec les garçons, ce n'était pas moi, et pourtant j'étais bien la seule à être accusée.

– On dirait qu'il te faut une autre leçon, ma belle. Eh bien, tu vas la recevoir.

Ce disant, il défit sa ceinture avant de m'ordonner :

– Va sur ton lit !

– Non, laissez-moi !

– Si tu y vas toute seule, tu ne recevras que six coups de fouet. Si je dois te forcer à y aller, tu en auras dix. Fais ton choix !

Pour m'empêcher de sortir, il se plaça entre la porte et moi, sachant parfaitement que je ne parviendrais jamais à le contourner.

– Alors, qu'est-ce que tu décides ?

– Je n'ai rien fait de mal, murmurai-je. Je vous en supplie, laissez-moi.

– On dirait que c'est dix, alors, déclara-t-il en s'approchant.

– Non ! hurlai-je, cette fois, en plaçant mes mains en avant pour me défendre.

– Reuben, qu'est-ce qui se passe ? fit soudain la voix de tante Clara.

– Ne t'occupe pas de ça, Clara, ou ça ira de plus en plus mal pour nous tous ! cria-t-il.

Puis il se tourna vers moi. Horrifiée à l'idée de me faire fouetter une seconde fois, je ne retenais plus mes larmes. Mais que pouvais-je tenter pour me protéger ?

La mort dans l'âme, je me dirigeai vers le lit.

– Baisse-moi ça, ordonna-t-il.

Tentant vainement de ne penser à rien, je baissai ma culotte d'une main tremblante. Oncle Reuben me fit tomber sur le matelas et, de nouveau, me plaqua une main sur le dos pendant qu'il me fouettait de six cruels coups de ceinture.

– Que je ne te reprenne plus à entrer toute seule dans la chambre d'un garçon ! cria-t-il. Et je ne veux plus te voir revenir en retard à la maison, tu m'entends ?

Incapable de répondre, je mordis l'édredon de toutes mes forces, et attendis. Je sentis ensuite sa main glisser sur mes fesses puis il se leva, et je l'entendis marcher vers la porte qu'il referma soigneusement derrière lui.

Il me fallut de longues secondes pour reprendre mon souffle et remettre ma culotte. Allongée sur mon lit, je maudis mon oncle des dizaines de fois et priai pour qu'il tombe un jour dans l'escalier et se rompe le cou. Je me permis même de fantasmer un instant, m'imaginant debout devant son cadavre, crachant sur lui et lui assenant de violents coups de pied. Je ne croyais pas alors possible de haïr quelqu'un plus que je le haïssais.

De nouveau, ma porte s'ouvrit et, terrifiée, je me

rassis brusquement. C'était Jennifer, qui me contemplait en hochant la tête.

– Clarence Dunsen ? Tu as laissé tomber Jimmy Freer pour Clarence Dunsen ?

– Non...

– Attends que j'annonce la nouvelle à tout le monde. Si j'étais toi, je ramperais sous mon lit et j'y resterais. Ma pauvre, je te plains.

Sur ces charmantes paroles, elle partit d'un grand rire et me laissa seule. Je restai là, incapable de penser, le corps douloureux, la tête vide... ou trop chargée de haine, peut-être.

Deux heures plus tard, je les entendis monter se coucher. Je patientai quelques instants puis sortis dans le vestibule, les poings serrés, la poitrine si oppressée que j'avais du mal à respirer. D'un pas calme mais résolu, je grimpai l'escalier. Tout était sombre et silencieux. La chambre d'oncle Reuben et tante Clara était fermée, ainsi que celles de William et de Jennifer. M'arrêtant à cette dernière porte, je devinai la voix de ma cousine, en train de parler et de rire au téléphone. Sans un bruit, je fis irruption chez elle. Étalée sur l'épaisse moquette, Jennifer leva vers moi un regard à la fois surpris et irrité.

– Qu'est-ce que tu veux ?

– Écoute-moi bien : si tu racontes à quiconque ce qui s'est passé ce soir, je révèle à ton père ce que tu as fait chez Missy Taylor !

Puis, je la plantai là et regagnai le rez-de-chaussée, ignorant pour un temps la douleur cuisante de
mes fesses et de mes cuisses.

9

L'insoutenable

Jennifer se tint si tranquille le lendemain au petit
déjeuner, que cela me rendit nerveuse. Elle évitait
mon regard et, si par hasard nos yeux se croisaient,
j'avais l'impression qu'elle voyait à travers moi.
Comme elle paraissait fatiguée, je supposai que mes
menaces l'avaient empêchée de dormir, la forçant
à se tourner et se retourner dans son lit pour trouver
un sommeil qui, chaque fois, avait dû se transformer
en cauchemar.

Mes mains tremblaient tant que je faillis renverser une brique de lait, ce qui, bien entendu, m'aurait
attiré une cascade de reproches de la part d'oncle
Reuben. Il ne cessa d'ailleurs de m'observer tandis

que je rangeais la vaisselle en entrechoquant un peu trop fort quelques bols.

Jennifer, quant à elle, garda les yeux baissés tout le temps du repas. Une ou deux fois, cependant, elle leva le menton et je vis sa petite bouche se plisser dans une moue craintive. Elle mangea sans articuler une seule parole et débarrassa ses affaires dans le même silence gêné.

– Tu ne te sens pas bien ? finit par lui demander tante Clara, inquiète.

Je n'étais donc pas la seule à avoir remarqué ce brusque changement d'attitude. D'ordinaire, elle parlait tout le temps, comme si elle adorait entendre le son de sa propre voix et s'imaginait que les autres l'appréciaient autant.

La question de tante Clara provoqua chez ma cousine un réflexe fort prévisible : elle m'incendia du regard. Je m'attendis qu'elle me vole dans les plumes et m'accuse de tous les maux en y ajoutant mes menaces de la veille, mais rien ne se passa.

– Si, si, maman, répondit-elle simplement. Je suis juste un peu fatiguée.

– J'espère que tu ne nous couves pas quelque chose, au moins.

– Il y a encore peu de temps, tout le monde était en bonne santé dans cette maison, maugréa oncle Reuben en me fixant.

Me considérait-il vraiment comme un microbe

ambulant, comme un agent infectieux, empestant la pourriture ?

– Tu devrais peut-être rester à la maison, suggéra tante Clara à sa fille.

– Oh, non... répliqua Jennifer avant de lâcher un profond soupir. J'ai une interro, aujourd'hui, et puis je ne voudrais pas rater des cours.

Pauvre chérie ! Depuis quand s'inquiétait-elle de manquer un cours ? Soit elle trichait en classe, soit elle empruntait le travail de quelqu'un d'autre pour le recopier et, si elle pouvait trouver le moyen d'échapper à une interro, elle n'hésitait pas. Et voilà que, tout à coup, la chère Jennifer devenait une martyre ! Pour moi, c'en était trop. Je me levai et commençai à débarrasser ce qui restait encore sur la table.

Comme d'habitude, ma cousine sortit avant moi de la maison. Avec les tâches ménagères que j'avais à faire – laver la vaisselle du petit déjeuner, nettoyer la table, ranger et préparer ma chambre pour la journée –, je faillis rater le bus.

Tante Clara m'aida comme elle le put et je sortis en courant pour arriver juste au moment où le dernier élève montait dans le véhicule. Comme tous les jours, la place à côté de Clarence était vide. Je m'assis près de lui en souriant et il me jeta un regard timide. Jennifer, bien entendu, s'était installée à l'arrière avec ses amies.

– Je suis d... désolé pou... pour mon beau... beau-père, dit Clarence d'un air ennuyé. C'est un... un... im... bécile.

– Ce n'est pas grave, Clarence, ne t'en fais pas. Il ne m'a pas impressionnée, tu sais.

– Il a l'es... prit tor... tordu et il... il aime bien lancer des v... vannes.

– Qui est ton vrai père ?

– Je ne... ne sais pas, répondit-il avec un haussement d'épaules. Peut-être qu'il... qu'il est en Californie. Je me souv... souviens à p... peine de lui.

Une ombre passa sur son visage et il tourna la tête vers la vitre.

Dehors, il commençait à pleuvoir et les gouttes qui s'écrasaient contre le verre s'étalaient en formant une sorte de toile d'araignée. Le ciel gris et bas rendait ce matin encore plus lugubre que d'habitude. Dans le bus, l'ambiance était morose et les conversations, bien qu'entrecoupées de quelques petits rires, semblaient particulièrement tranquilles.

Je me tournai un instant vers l'arrière du véhicule pour apercevoir une Jennifer silencieuse qui me regardait, ses livres serrés contre la poitrine, la tête dodelinant avec les mouvements du bus. Même ses amies, d'habitude bruyantes et hyperactives, semblaient à demi endormies.

Durant cette morne matinée, l'intérieur du collège s'assombrit peu à peu au fur et à mesure que les nuages s'épaississaient. Certains couloirs étaient peu éclairés et j'avais l'impression par moments de devoir traverser un tunnel pour atteindre ma classe. Avec la pluie qui s'accentuait, les élèves s'assoupirent peu à peu et les professeurs eux-mêmes perdirent tout enthousiasme.

Mais, peu de temps avant le déjeuner, les nuages commencèrent à se dissiper et quelques pâles rayons de soleil osèrent même apparaître, chassant la somnolence générale. Bientôt, les voix se firent plus fortes, l'ambiance s'anima et, dans les couloirs, les plaisanteries reprirent leur train-train habituel.

À l'heure du repas, Terri et moi partîmes vers la cafétéria en parlant d'un film qui devait bientôt sortir sur les écrans. Quand je vivais avec maman, j'allais de temps à autre au cinéma mais, depuis mon installation chez oncle Reuben, je me demandais si cela m'arriverait encore un jour.

Nous approchions de la salle de classe lorsque des éclats de rire nous parvinrent du fond du couloir. Une dizaine de garçons se serraient en un groupe compact qui se retourna vers nous. Reconnaissant Jimmy, je me crispai instinctivement. Ils s'écartèrent et Clarence Dunsen apparut, tout seul au milieu d'eux et terrifié.

– La... la voilà qui... qui... qui arrive, Clarence, dit méchamment Jimmy. Va donc lui dire comb... combien tu l'ai... tu l'aimes.

Comme on pouvait s'y attendre, aucun d'eux ne se priva de rire à gorge déployée.

– Laissez-le tranquille ! criai-je en m'approchant.

– Mais on ne l'embête pas, rétorqua Jimmy d'une voix forte pour qu'on l'entende dans tout le couloir. Clarence était juste en train de nous raconter votre rendez-vous dans sa chambre, l'autre jour...

– Tu n'es qu'un salaud ! lui lançai-je.

Ce qui fit naître de nouveaux rires, quoiqu'un peu étouffés, cette fois-ci.

Sans rien ajouter, je repartis vers la cafétéria, suivie de Terri qui s'empressa de me demander :

– Qu'est-ce que c'est que cette histoire ?

– C'est encore un coup de ma cousine, marmonnai-je, hors de moi.

Avec un geste de colère, je jetai mes livres sur la table et croisai les bras.

– Qu'est-ce que tu mijotes ? interrogea Terri d'un air inquiet. Pas de violence, cette fois, hein ?

Elle se tourna vers Mr Wizenberg qui, debout derrière son comptoir, me surveillait d'un œil nerveux. Je cherchai Jennifer du regard et la trouvai installée à l'autre bout de la salle, entourée, comme d'habitude, de sa cour de bruyants volatiles. Elle avait l'air tout à fait contente d'elle-même et j'eus le plus grand mal à réprimer le puissant désir d'aller lui arracher les yeux.

À cet instant, les garçons firent irruption dans la cafétéria derrière Clarence qui, s'efforçant de les ignorer, alla s'asseoir à sa table habituelle.

– Je... Je... Je t... t'aime, Re... Re... Rebecca ! braillaient-ils ensemble en hurlant de rire.

La salle entière se tourna vers eux, et Clarence, rouge comme une pivoine, se laissa lourdement tomber sur sa chaise puis garda les yeux rivés sur sa table.

– Silence ! cria Mr Wizenberg. J'ai dit, silence !

Les garçons finirent par s'arrêter puis s'éparpillèrent vers leurs places respectives, mais non sans continuer de rire et de se féliciter les uns les autres en se donnant de grandes tapes dans le dos. Jimmy se dirigea alors vers Jennifer et tous deux plaisantèrent bruyamment, ravis de leur dernière blague.

– Mais qu'est-ce qui se passe ? insista Terri qui ne comprenait rien.

Je me décidai à lui raconter l'incident de la veille sans toutefois avouer que je n'avais pu révéler à oncle Reuben le comportement de Jennifer chez Missy Taylor. M'abaisser au niveau mesquin de ma cousine m'était impossible. Peut-être s'en doutait-elle depuis le début et en profitait-elle en toute quiétude. Quand elle se leva pour faire la queue devant les boissons, je bondis de ma chaise.

Terri m'agrippa le bras.

– Fais attention. Cette fois, tu es sûre de te faire virer pour trois jours, si ça barde entre vous.

J'acquiesçai mais cela ne m'empêcha pas de rejoindre Jennifer et de lui lancer :

– Tu es vraiment infecte ! Ça t'est totalement égal de raconter de sales histoires sur les autres et de leur faire du mal ?

– Mais de quoi tu parles ? s'indigna Jennifer en rejetant nerveusement la tête en arrière. Je n'ai jamais rien raconté à personne. Clarence s'est vanté devant ses copains de sortir avec toi. Je n'y peux rien.

– Tu mens ! Tu n'es qu'une sale menteuse !

Comme je me rapprochais encore, elle fut forcée de reculer d'un pas.

– Si tu fiches encore le bazar, papa te jette dehors. Tu es au courant ?

– Eh bien, je préférerais ça. La rue est moins répugnante que votre maison.

Un éclair d'affolement passa dans son regard tandis qu'elle vérifiait si personne ne nous écoutait.

– Tu n'as pas intérêt à colporter des horreurs sur moi ou ma famille, Rebecca, menaça-t-elle à voix basse. Je te préviens, tu n'as pas intérêt !

– Tu me dégoûtes !

Comme quelques filles tournaient la tête dans notre direction, j'hésitai un instant avant d'ajouter :

– Ne t'en fais pas, je ne veux surtout pas patauger dans la même boue que toi.

Elle afficha un sourire haineux qui me fit froid dans le dos. Je la quittai et retournai à ma table, aussi enragée qu'avant de lui parler.

– Du calme, dit Terri en me posant une main sur le bras.

Mr Wizenberg, qui s'était approché de nous, m'observa un instant du coin de l'œil, les mains derrière le dos, en se balançant sur les talons. Puis il s'éloigna, estimant sans doute que sa seule présence m'avait servi d'avertissement.

– Tout le monde pense que c'est moi qui perturbe la tranquillité des autres, ici, marmonnai-je. Ce n'est pas juste.

– Ne t'inquiète pas, ça lui retombera dessus un jour ou l'autre.

Pour le moment, c'était à moi de me sortir de ce guêpier. Après un tour dehors, je retournai en cours et l'après-midi se déroula finalement plus vite que prévu. Je fus néanmoins soulagée d'entendre retentir la sonnerie de fin de journée et me dirigeai tranquillement vers l'arrêt du bus.

Cette fois-ci, en montant dans le véhicule, j'hésitai. Si je m'asseyais à côté de Clarence, Jennifer et ses amies recommenceraient à se moquer de lui. Jugeant que c'était pour son bien, je décidai de m'installer quelques sièges plus loin. Au moment où je passai devant lui, il me regarda d'un air triste et, comme je lui souriais pour lui faire comprendre que c'était mieux ainsi, il sembla comprendre et hocha la tête.

Je trouvai une place libre et personne, bien sûr, ne vint s'asseoir près de moi. On n'entendit au début du trajet que les conversations habituelles mais, soudain, un éclat de rire aigu retentit que je reconnus comme celui de Jennifer. Agacée, je me retournai juste au moment où elle et sa bande entonnèrent leur cruelle chanson.

– Je... Je... t'aime, Re... Re... Rebecca.

Les rires fusèrent à travers le bus et, bientôt, tout le monde se mit à chanter avec elles. La conductrice prit d'abord une mine ennuyée, ce qui ne l'empêcha pas ensuite de sourire aux blagues de ses passagères.

C'était une femme assez corpulente, nommée Peggy Morris, aux cheveux coupés très court sur la nuque. Elle portait une chemise de flanelle blanche dont les manches étaient roulées au-dessus du coude, et un pantalon bleu marine qui ne flattait guère sa silhouette. Malgré son apparence un peu revêche, je l'avais toujours trouvée sympathique et amicale.

Je jetai un coup d'œil à Clarence. Les mains plaquées sur les oreilles, les yeux fermés, il se balançait nerveusement d'avant en arrière.

– Arrêtez ! m'écriai-je. Arrêtez, vous n'êtes que des idiots !

Ce qui ne fit qu'augmenter les rires, j'aurais dû m'y attendre.

Surexcités, ils braillèrent de plus belle. J'espérais que Peggy Morris allait faire quelque chose mais elle semblait trop occupée par une voiture qui ralentissait et accélérait sans raison devant son véhicule.

Brusquement, Clarence se leva et se mit à hurler comme un animal blessé. Sa voix rauque se propagea à travers tout le bus mais, au lieu de faire cesser ce chant stupide, elle provoqua un redoublement de glapissements. À mon tour, je criai pour les faire taire et, bientôt, un chahut assourdissant emplit le car entier. On aurait dit qu'il transportait une bande de fous furieux.

Peggy venait de ralentir pour prendre une rue perpendiculaire lorsque Clarence surprit tout le monde en écrasant violemment ses poings sur la vitre. Un seul coup rageur suffit à couper net le sifflet de ses camarades. L'estomac noué, je parvins tout juste à articuler son nom pour l'empêcher de continuer.

– Clarence...

Mais il s'entêta, plus fort encore et, cette fois-ci, la vitre vola en éclats.

Il se figea alors, hébété, et regarda le sang qui dégoulinait le long de son bras. Non loin de lui, des filles poussèrent un cri d'effroi, aussitôt imitées par quelques garçons. Peggy Morris freina brutalement et arrêta son véhicule au bord du trottoir au moment précis où Clarence, étourdi, tombait à la renverse. S'arrachant de son siège, elle le rattrapa juste avant que son crâne ne heurte les marches descendant vers la portière avant.

Un silence de mort s'installa dans le bus. Lentement, je me levai pour rejoindre Clarence et Peggy. Celle-ci me dit précipitamment de lui donner sa trousse de premiers secours, rangée au pied de son siège. Dès qu'elle l'eut entre les mains, elle l'ouvrit et en sortit un pansement de gaze qu'elle pressa sur le poignet de Clarence, qui saignait abondamment. Puis elle m'ordonna :

– Descends et trouve un téléphone. Appelle une ambulance, vite !

Elle appuya sur un bouton pour m'ouvrir la portière et, une fois dehors, je me précipitai vers le magasin le plus proche. Le vendeur appela les urgences et je retournai vers le bus. Tout le monde était tranquille, à présent, même Jennifer. La conductrice fit de son mieux pour arrêter l'hémorragie tandis que Clarence restait allongé, les yeux clos.

Une éternité s'écoula avant que ne résonne la sirène du Samu que suivait une voiture de police. Les commentaires allèrent bon train tandis que les infirmiers montaient dans le bus et se faisaient expliquer par Peggy ce qui s'était passé. Ils commencèrent par soigner Clarence sur place, puis le descendirent sur un brancard.

Dès qu'il fut en sécurité dans l'ambulance, Peggy remonta dans le bus et, les poings sur les hanches, encore pâle et sous le choc, elle jeta un regard terrible à ses passagers.

— Je ne veux plus entendre un seul bruit, pas même un murmure, déclara-t-elle d'une voix vibrante. C'est compris ?

Elle s'assit ensuite au volant et démarra. Le reste du trajet se fit dans un silence quasi mortel. Mon cœur battait si fort que j'en avais la nausée. Lorsque notre arrêt apparut, je me levai et, une fois la portière ouverte, je descendis lentement les marches du bus.

— Merci de ton aide, me dit alors Peggy Morris.

J'acquiesçai sans dire un mot puis me dirigeai vers la maison. Jennifer me passa devant, se retourna et me lança :

— Tout ça, c'est entièrement ta faute.

Il me fallut faire appel à toute ma volonté pour ne pas me ruer sur elle et lui arracher les cheveux. Mais je ne pouvais pas me permettre de m'abaisser à son niveau, quoi qu'il arrive. Jamais je ne serais comme elle.

En rentrant du travail, ce soir-là, oncle Reuben était déjà au courant des mésaventures de Clarence. On avait en effet appelé son beau-père au bureau qui s'était aussitôt précipité à l'hôpital. Mon oncle ne connaissait pas les détails de l'histoire, mais je vis à son regard fixé sur moi lorsqu'il nous posa des questions qu'il croyait bien que j'avais quelque chose à voir là-dedans.

– Alors, qu'est-ce qui s'est passé ? demanda-t-il.

– Clarence est devenu fou, répondit Jennifer.

– Pourquoi ?

– Les autres le taquinaient et ça l'a rendu fou. Il est bon pour l'asile, de toute façon.

– Qu'est-ce que tu veux dire par « taquiner » ? Comment est-ce qu'ils le taquinaient ?

– Ils se moquaient de son bégaiement.

– C'est tout ? s'étonna-t-il non sans continuer de m'observer d'un œil soupçonneux.

– Je ne sais pas, papa. Je ne faisais pas attention. Mais, brusquement, il a flanqué un coup de poing contre la vitre du bus et sa main a traversé le verre. Ce n'est pas de la folie, ça ?

– Mon Dieu, c'est affreux ! s'exclama tante Clara.

– Il saignait ? demanda William.

– Beaucoup. C'est pour ça qu'on a dû appeler l'ambulance.

Mon cousin fit la grimace et me regarda.

– C'est étrange comme tous ces événements désagréables arrivent tout d'un coup, commenta oncle Reuben.

Après cela, Jennifer eut l'audace de venir me dire qu'elle m'avait fait une grosse faveur.

– Je t'ai protégée, m'assura-t-elle avec aplomb. Alors, ne va pas m'accuser de n'importe quoi, s'il te plaît.

– Tu m'as protégée ? répétai-je, ulcérée par le culot qu'elle montrait. Comment ça ?

– Je n'ai pas dit à papa pourquoi les autres taquinaient Clarence. Il aurait été furieux contre toi. Alors, tu ferais bien d'être sympa avec moi, sinon...

– Je préférerais être sympa avec un serpent à sonnettes, tu vois. Toi et ton père, vous vous valez bien, tous les deux.

– Je vais lui répéter ce que tu viens de dire là. Tu veux te faire battre encore une fois ?

– Fiche-moi la paix.

– J'ai un ou deux chemisiers à repasser et je n'ai pas le temps de le faire, dit-elle sur un ton dégagé. J'envoie William te les descendre. Et ne t'amuse pas à les abîmer, sinon...

Plus tard dans la soirée, j'entendis oncle Reuben annoncer à tante Clara que le beau-père de Clarence avait téléphoné. Il disait qu'on avait dû lui faire vingt points de suture et qu'on le gardait en observation à l'hôpital. Il précisait aussi que Clarence devrait peut-être faire un tour en psychiatrie avant de sortir.

– Je ne sais pas encore comment, conclut-il, mais je suis sûr que Rebecca a quelque chose à voir là-dedans.

– Oh, Reuben, non ! C'est impossible.

– Je trouverai bien. Cette fille ne nous apporte que des ennuis ; je ne vois pas pourquoi ça s'arrê-terait. Que ma sœur aille au diable ! Elle aurait mieux fait de se faire stériliser.

Comment pouvait-il penser et dire une chose pareille ? Mais, pour l'heure, c'était le sort de Cla-rence qui m'inquiétait. Le plus étrange dans l'affaire était que je me sentais un peu responsable de ce qui lui arrivait. Si je ne l'avais pas suivi dans son sous-sol, les autres n'auraient pas inventé cette chanson stupide. Je créais des ennuis à tout le monde, fina-lement. Oncle Reuben ne se trompait pas tant que cela.

Le lendemain, au collège, les blessures que s'était infligées Clarence et les événements de la veille devinrent vite le principal sujet de conversation. Les garçons et les filles qui l'avaient tourmenté ne res-sentaient aucun remords. Ils agissaient au contraire comme s'ils avaient aidé à mettre en évidence sa maladie mentale. À présent, il n'avait plus qu'à aller là où était réellement sa place... dans une maison pour les dingues. Ils semblaient tellement contents d'eux que j'en étais écœurée.

Clarence ne revint pas au collège et, à mon sens, il avait bien raison de rester à l'écart de ces abrutis.

Plus tard dans la semaine, son beau-père découvrit la vraie raison des moqueries dont Clarence avait été l'objet et il ne se priva pas d'en parler à oncle Reuben. Lorsque celui-ci rentra du travail, tout plein de ce qu'il venait d'apprendre, une satisfaction évidente se lisait sur son visage. Avec fierté, il annonça à tante Clara que j'étais effectivement la cause des ennuis de Clarence. Sa clairvoyance l'enchantait visiblement.

Tante Clara se recroquevilla un peu plus dans sa coquille et la tyrannie d'oncle Reuben s'exerça de plus belle sur la maisonnée. Il était ce qu'il voulait être, le roi de son foyer, le juge et le jury tout à la fois, et nous n'existions que pour son plaisir et son bien-être.

Il augmenta le nombre de mes tâches ménagères et, pendant un mois, je n'eus pas le droit de sortir avec qui que ce soit durant les week-ends. Aucune activité extrascolaire ne m'était permise, aucune distraction en groupe, pas même quelques courses au centre commercial avec tante Clara. Celle-ci, d'ailleurs, ne trouva pas une seule fois le courage de protester ou de me défendre.

Un nuage s'installa au-dessus de la maison,

encore plus sombre et oppressant que ceux qui l'avaient précédé.

Pendant ce temps, j'attendais et espérais des nouvelles de ma mère mais rien n'arriva. Cruellement, oncle Reuben ne cessait de répéter que son portrait était pourtant affiché dans tous les commissariats de police.

– Pourquoi est-ce qu'elle pointerait le bout de son nez par ici ? disait-il avec aigreur. Elle a un frère qui assume ses responsabilités à sa place.

Ma mère m'avait infligé bien des choses, depuis ma naissance, mais la pire de toutes avait été de m'abandonner à son frère.

Je ne parvenais pas à imaginer comment on pouvait avoir une existence plus sordide que la mienne. Et pourtant je n'étais pas au bout de mes malheurs.

Bientôt, j'allais connaître le pire.

10

Seule à la maison

Me retrouver confinée à la maison pendant que tous étaient sortis ne fut pas aussi terrible que je l'aurais cru. J'en aurais profité davantage si William, qui semblait apprécier ma compagnie plus que celle de n'importe qui dans la famille, avait pu rester aussi.

Mais, ce samedi-là, tante Clara décida de l'emmener au centre commercial pour lui acheter des vêtements et une paire de baskets. Jennifer, qui jubilait de sortir sans moi avec ses amies, fit d'abord un détour par ma chambre où j'étais en train de repasser.

– On va tous se retrouver pour manger une pizza et puis on ira au cinéma, annonça-t-elle sur un ton triomphal. Brad m'a demandé de m'asseoir à côté de lui. C'est la preuve que je l'intéresse vraiment, malgré ce que tu peux en penser.

– Tant mieux pour toi, répliquai-je sèchement.

– Si tu n'étais pas aussi méchante, je pourrais pousser les autres à être un peu plus sympa avec toi, tu sais.

– Moi, méchante ? repris-je en souriant. Tu crois réellement ce que tu dis ou tu me prends pour une imbécile ?

– Je te prends pour une imbécile, avoua-t-elle avec un demi-sourire.

– Tu sais, dis-je en reposant le fer sur sa grille, quand je suis arrivée ici, je me croyais la plus malheureuse des filles et je t'ai beaucoup enviée. Tu avais une famille, une belle maison, un gentil petit frère ; tout ce que je rêvais d'avoir, en somme. Et puis j'ai appris à te connaître et j'ai vu ce qui se passait réellement chez toi. Tu sais ce que je pense, maintenant ?

– Non ?

– Eh bien, je m'apitoie plus sur ton sort que sur le mien, figure-toi. Je te plains, même.

Ce disant, je repris mon repassage.

– Mais qu'est-ce que tu racontes ? Tu es aussi dingue que Clarence. Je me demande pourquoi j'ai essayé d'être ton amie.

– Devenir ton amie, ce serait pire que de devenir l'amie d'une araignée ; tu sais, une veuve noire...

Ulcérée, Jennifer me tourna le dos et sortit en trombe de ma chambre. Elle claqua si violemment la porte que les vitres de la fenêtre vibrèrent.

Souriant intérieurement, j'allumai la radio et décidai de profiter à fond de cet après-midi de solitude. Oncle Reuben était déjà parti jouer au bowling avec son groupe d'amis et la perspective de vivre tranquille quelques heures, sans que personne m'observe ou juge mes moindres faits et gestes me procurait un véritable soulagement.

Il était évident que ma mère ne viendrait jamais me rechercher et que je ne pourrais plus vivre avec elle. Le jour où on la retrouverait, on la jetterait pour de bon en prison. Et même si elle se comportait bien et se voyait relâchée plus tôt que prévu, on la dirigerait tout droit vers un autre centre de désintoxication. Après quoi, on lui interdirait sans doute définitivement de me reprendre avec elle. Et puis, qui me disait, de toute façon, qu'elle en accepterait la responsabilité ?

Peut-être devrais-je cesser de fuir la réalité et avoir le courage de la regarder en face, pensais-je. En me débattant comme un animal pris au piège qui n'hésiterait pas à se mutiler pour se libérer, je ne réussissais qu'à me faire du mal. Je devais apprendre l'indifférence. Sans doute tante Clara n'avait-elle pas tort d'agir comme elle le faisait. Au moins trouvait-elle un peu de paix en choisissant délibérément de se mettre la tête sous le sable, de rester aveugle aux dissensions qui régnaient dans sa famille. Ainsi, elle était capable de continuer, de se réveiller chaque matin avec l'espoir que tout s'arrangerait.

J'avais l'impression d'être emportée par un

torrent puissant contre lequel je ne pouvais rien. Si je luttais pour surnager, je ne faisais qu'y perdre mes forces et mon énergie. Si, au contraire, je me laissais entraîner par le courant, il me suffisait de suivre les flots furieux qui, peut-être, finiraient par me déposer beaucoup plus bas, sur une berge tranquille. Et là, ma vie prendrait peut-être un sens. Je me découvrirais un but, je retrouverais mon identité. Je me considérerais enfin comme une personne réelle, avec un vrai nom, et capable de contrôler ce qui lui arriverait, que ce soit bon ou mauvais. Enfin alors, je pourrais me tenir debout et recommencer une nouvelle existence.

C'était mon seul espoir, le seul choix qui me restait.

Comprendre cela me donna la sensation de me décharger d'un énorme poids. Et, le cœur plus léger, tout en continuant de travailler, je me mis à me balancer doucement au rythme de la musique. Puis, en fredonnant, j'allai à la cuisine et me versai un verre de soda avant de retourner dans ma chambre achever mon repassage. Après cela, je décidai de prendre une douche et de passer le reste de l'après-midi à lire et à réviser mes leçons d'anglais.

Cette journée s'annonçait donc comme la plus belle, depuis mon arrivée dans cette maison. Je riais en songeant qu'il avait fallu pour cela que je me retrouve entièrement seule. Je me lavai les cheveux sous la douche puis m'assis devant le petit miroir de ma chambre pour les sécher, d'abord avec une serviette puis avec un séchoir emprunté à tante Clara.

Mes cheveux, longs et épais, restaient ma fierté. Maman elle-même me les avait toujours enviés en se lamentant de la piètre qualité des siens. Souvent, elle caressait ma chevelure et y passait la main. Parfois même, elle me prenait une mèche entre les doigts et se la posait contre le visage pour se donner l'illusion d'avoir une crinière aussi riche et chatoyante que la mienne.

Assise devant mon miroir, dans la robe de coton bleu que m'avait donnée tante Clara, je m'imaginai au bras d'un homme beau et gentil qui, emporté par l'amour, proposerait de m'emmener loin d'ici. Pourquoi ne serais-je pas, moi aussi, une Cendrillon ? Il y avait sûrement un garçon, quelque part, destiné à devenir mon prince charmant, mon amant, mon mari. Quelqu'un qui trouverait en moi force et beauté et désirerait me garder à ses côtés pour la vie entière.

Tout à ma rêverie, emportée par la musique, enivrée par les promesses de bonheur que je me faisais, je n'entendis pas oncle Reuben entrer dans la maison puis pénétrer dans ma chambre. Je ne m'aperçus de sa présence derrière moi qu'en me retournant pour baisser un peu le volume de la radio. Je sursautai d'effroi et plaquai une main sur ma bouche pour m'empêcher de crier. Il oscillait légèrement et avait le regard vitreux. Il ne m'en fallut pas davantage pour comprendre qu'il s'était pris du bon temps avec sa bande de copains.

– Alors, on se pomponne pour quelqu'un, c'est ça ? demanda-t-il avec un méchant sourire.

– Non... J'ai fait tout ce que j'avais à faire dans la maison. Je viens de prendre une douche et j'allais m'attaquer à mes devoirs.

Mon cœur battait à tout rompre, j'étais terrifiée mais je ne voulais surtout pas qu'il s'en rende compte.

– Une douche ? Toi ? Évidemment, tu es tellement sale, de l'intérieur comme de l'extérieur. Tous les savons de la terre ne pourraient pas te nettoyer à fond.

– Ce n'est pas vrai ! m'écriai-je en oubliant ma peur. Je ne suis pas sale !

– Tu es la fille de ta mère. Tu l'as déjà prouvé pendant le peu de temps que tu es restée ici. Ne serait-ce qu'en séduisant ce garçon attardé...

– Je n'ai rien fait de tel.

– Continue comme ça, insista-t-il en balayant l'air de sa main. Tu ne changeras jamais, c'est dans tes gènes.

– S'il y a de mauvais gènes dans la famille, c'est vous qui en avez hérité plus que ma mère et moi.

Sidéré par mon audace, il recula d'un pas et me regarda comme si je venais de le gifler.

– Ah, oui ? dit-il sur un ton menaçant. Tu as toujours ta grande gueule, hein ?

Il criait avec tant d'énergie qu'il chancela et se rattrapa de justesse. Son haleine empestait la bière et j'en avais l'estomac retourné.

– Je devrais te fiche dehors ou te traîner devant un tribunal et les laisser te placer dans le premier orphelinat venu.

– J'aimerais bien, avouai-je crânement. Je raconterais à tout le monde quelle sorte d'homme vous êtes. Je leur dirais tout sur votre cruauté et votre brutalité, comment vous terrorisez les membres de votre famille en les menaçant ou en les battant !

Cette fois, ses yeux s'écarquillèrent de stupeur et il resta un instant bouche bée. Un instant, seulement...

– De quoi tu parles, encore ? Quels mensonges as-tu encore inventés sur moi ? À qui as-tu raconté de telles horreurs sur mon compte ?

– À personne, murmurai-je. À personne, jusqu'à présent...

Malgré ses oscillations et la brume qui lui avait envahi le cerveau, il leva si vite la main que je n'eus pas le temps de me protéger. Il me gifla en plein visage, si fort que je perdis l'équilibre et tombai à genoux. Ce dont il profita pour agripper mon peignoir et, me forçant à me relever, m'attirer à lui.

– Tu es nue, là-dessous ? Tu te balades toute nue, maintenant ?

– Je ne suis pas toute nue, et puis c'est ma chambre, protestai-je d'une voix tremblante de peur et de colère.

– Et tu laisses la porte grande ouverte ? Tu n'es qu'une aguicheuse, comme ta mère. Décidément, je vais devoir te donner la même leçon qu'à elle. Je vais te montrer ce qui arrive à des filles comme toi !

D'une poigne brutale, il me saisit par la taille et me souleva pour me jeter sur le lit.

– Non ! hurlai-je. Ne me touchez pas !

Comme le peignoir s'était retroussé sur mes reins oncle Reuben m'assena une violente claque sur les fesses puis il s'assit à côté de moi avant de remonter davantage le tissu.

– C'est ça que tu veux, au contraire. Tu veux qu'on te touche, petite garce.

Sa voix s'était soudain radoucie, ce qui n'annonçait rien de bon. Terrifiée, je roulai de côté pour lui échapper mais son torse puissant vint s'écraser sur moi et je sentis mes côtes sur le point de se briser.

De nouveau, sa paume atterrit sur mes fesses puis descendit plus bas, entre mes cuisses.

– Tu es comme ta mère, tu veux qu'on te touche, hein ?

Je sursautai en hurlant tandis que ses doigts commençaient à se promener là où je n'osais pas aller moi-même.

– Tu sèmes la honte dans ma maison, poursuivit-il en continuant sa sale besogne.

Comme s'il se rendait brusquement compte de ce qu'il était en train de faire, il s'arrêta net et me frappa de nouveau.

– Tout le monde au bowling parlait de toi et de Clarence. C'était diablement gênant. Ils voulaient savoir quel genre de nièce j'avais chez moi. Tu n'écoutes pas ce qu'on te dit, tu t'entêtes à mal te comporter. J'ai été trop gentil avec toi.

Il se retourna alors et s'empara de ma brosse à cheveux, oubliée sur la table de chevet. Le premier coup me fit si mal que je crus voir danser des étoiles. Sans me laisser le temps d'absorber la douleur, il me frappa et me frappa encore avec le manche de bois, puis me pinça cruellement, en visant n'importe quelle partie de mon corps du moment qu'il atteignait son but.

Quand il eut fini, il s'appuya sur un coude, respirant fort au-dessus de moi, le visage rouge d'excitation, la bouche grande ouverte.

– Tu recevras pire encore si je te reprends à mal agir, articula-t-il, hors d'haleine. Je te fouetterai jusqu'à t'en arracher la peau, tu as compris ?

– Oui, sanglotai-je. Oui...

– Bon, dit-il alors en se redressant. Et ne va pas pleurnicher auprès de Clara en lui racontant tout ça, tu m'entends ? Si tu me désobéis, je saurai me rappeler à ton bon souvenir, fais-moi confiance.

Immobile, j'attendis qu'il soit sorti d'un pas lourd et qu'il ait refermé la porte. Au premier mouvement que je fis, la douleur fut instantanée et fulgurante. Je me laissai retomber sur le matelas et m'abandonnai aux sanglots. J'étais blessée, dans mon âme et dans mon corps, et je me sentais affreusement humiliée.

Ce fut ainsi que tante Clara me trouva. Elle supposa que j'étais malade et je prétendis avoir des règles douloureuses. Elle me crut et me proposa de rester couchée pendant qu'elle préparait le dîner.

Jouant le jeu, oncle Reuben ne parut pas mettre en doute ce que j'avais raconté à ma tante. Jennifer, quant à elle, se moquait bien de mon état et ne songea même pas à venir faire un tour dans ma chambre pour se vanter de l'après-midi extraordinaire qu'elle avait passé avec ses amis.

William vint me rendre une courte visite et je fis tous les efforts du monde pour lui dissimuler ma douleur. Son attitude embarrassée et son regard craintif me firent cependant deviner qu'il se rendait compte de quelque chose.

Plus tard dans la soirée, quand j'émergeai de ma chambre pour aller dîner, ce fut en marchant comme une petite fille souffrant de ses premières règles. Tante Clara jugea alors scandaleux que la médecine moderne soit incapable de nous soulager de ce genre de maux.

– C'est peut-être parce que la plupart des médecins sont des hommes, marmonna-t-elle.

– C'est ridicule, rétorqua son mari. Encore une stupide propagande du MLF.

Et oncle Reuben de se lancer à nouveau dans une de ses tirades sur les valeurs qui se perdaient, et cela à cause d'une prétendue liberté de pensée qui, d'ailleurs, faisait plus de mal que de bien.

Je me couchai tôt et passai la plus grande partie de la journée du lendemain étendue sur mon lit. La douleur était si forte qu'elle m'empêcha quasi de manger et de dormir. Malgré tout, rester allongée me procura un léger soulagement. Le lundi matin, oncle Reuben entra dans ma chambre et m'ordonna de me lever pour aller aider tante Clara à la cuisine.

– Et n'essaie pas de manquer l'école, non plus, prévint-il. Je sais que c'était ta spécialité quand tu vivais avec ma sœur. Elle avait dû perdre la notion du temps, pour te laisser sécher les cours...

Marcher était encore douloureux mais j'avais tellement peur qu'il trouve une nouvelle raison de me frapper que je lui obéis sans broncher. Durant le trajet en bus, je n'adressai la parole à personne et je passai la matinée à chercher péniblement une position qui ne me ferait pas trop souffrir. Seul Mr Gatlin remarqua mon malaise et me demanda si j'avais des fourmis dans la culotte ; bien sûr, les rires fusèrent dans la classe, et murmures et moqueries ne firent que s'accentuer pendant les interclasses, dans les couloirs et ailleurs.

Le pire survint pendant le cours de gym. Je tentai bien d'aller m'excuser dans le bureau de Mrs Wilson en prétendant que j'avais mes règles, mais elle m'obligea quand même à passer mon survêtement et à faire quelques exercices d'assouplissement.

– Mes filles se mettent toujours en tenue de sport, me rappela-t-elle d'une voix aigre. Je ne fais pas d'exception. D'ailleurs, je n'aime pas les tire-au-flanc.

Quelques minutes plus tard, alors que je me changeais avec toutes les peines du monde, elle vint m'espionner dans les vestiaires.

– Ô mon Dieu ! s'exclama-t-elle, les mains sur le visage. Que t'est-il arrivé ?

Je me retournai d'un bond et plaquai mon survêtement contre ma poitrine. Mais les marques violacées de mes cuisses étaient bien trop voyantes pour passer inaperçues, même dans la pénombre de la pièce.

– Rien, répondis-je.

– Je n'appelle pas cela « rien », vois-tu. Remets tes habits et file tout de suite chez Mrs Millstein.

210

– Mais...

– Fais ce que je te dis.

L'air horrifiée, elle me regarda me rhabiller puis sortit du vestiaire pour se rendre directement à son bureau. Le temps que j'arrive à l'infirmerie, Mrs Wilson avait appelé Mrs Millstein et celle-ci m'attendait, le visage grave.

– Approche, Rebecca, s'il te plaît, dit-elle. Mrs Wilson m'a parlé de tes blessures. Tu veux me les montrer ?

– Je vais très bien, répliquai-je d'un ton mal assuré.

– Je n'en doute pas mais, au cas où cela nécessiterait quelques soins, il serait bien de me laisser les regarder. D'accord ?

J'hésitai puis, subitement, j'eus l'impression que le monde entier s'écroulait autour de moi. Un torrent de larmes s'écoula de mes yeux et je me mis à sangloter si fort que mon corps entier fut secoué de spasmes. Mrs Millstein me prit fermement par les épaules et m'aida à m'asseoir.

– Voilà, voilà... calme-toi, Rebecca, dit-elle avec douceur. Je suis sûre que ce n'est pas aussi terrible que ça en a l'air.

– Si ! m'écriai-je.

Lentement, je relevai ma jupe et lui laissai voir les hématomes qui me couvraient les cuisses. Puis, je me mis debout et elle examina les autres.

– Comment est-ce arrivé, Rebecca ?

De nouveau, j'hésitai à lui répondre.

– Il faut me le dire, Rebecca. Qui t'a fait ça ?

Je pris une longue inspiration. Était-ce si important maintenant que l'on sache quelle horrible existence je menais ? Je me rassis et, sans mot dire, fixai le plancher. Des larmes ruisselaient sur mon visage.

– Rebecca ?

– C'est mon oncle, articulai-je d'une voix défaite.

– Comment est-ce qu'il t'a fait ça ?

– Il m'a battue avec le manche de ma brosse à cheveux, et après il m'a violemment pincée, et après... après...

Mes sanglots reprirent de plus belle. Mrs Millstein m'offrit des mouchoirs en papier et me prit la main.

– Parle lentement, Rebecca, dit-elle en s'agenouillant devant moi. Prends ton temps mais dis-moi tout. Je suis là pour t'aider. Vas-y, qu'est-ce qu'il t'a fait encore ?

– Après m'avoir battue, il m'a... touchée... là où il n'aurait pas dû. Et puis, il m'a frappée avec la brosse jusqu'à ce que je manque de m'évanouir.

– C'était déjà arrivé, auparavant ?

– Oui, lâchai-je avec un gémissement. La dernière fois, c'était avec une ceinture.

Je me remis à pleurer doucement.

L'infirmière me regarda sans dire un mot puis elle se redressa.

– Repose-toi, Rebecca. Tout ira bien, maintenant, je te le promets. Ne bouge pas d'ici, je reviens dans un instant.

Ce qui arriva ensuite se passa si vite que tout semble flou aujourd'hui dans mon esprit, comme un film qui se déroulerait trop rapidement.

Peu de temps après mes révélations, Marjorie Rosner, du service de protection de l'enfance, se présenta au collège pour s'entretenir avec moi. Mrs Millstein m'encouragea à raconter dans le détail ce qui m'était arrivé et Mrs Rosner me posa un nombre incalculable de questions. Ensuite de quoi elle se retira avec l'infirmière pour discuter de mon cas.

Une demi-heure plus tard, on me conduisit chez un médecin qui examina à son tour mes blessures et remit un rapport écrit à Marjorie. Pendant ce temps, une véritable ruche s'affairait autour de moi : des coups de téléphone à droite et à gauche, la police qui me questionnait, des infirmières qui tentaient de me réconforter...

Enfin, je me vis placée provisoirement dans une famille d'accueil, chez un couple de retraités. Ils m'offrirent un repas chaud et un lit pour passer la nuit. À ma grande surprise, dès que j'eus posé la

213

tête sur l'oreiller, je me sentis partir, emportée par un sommeil doux et réparateur.

Dès le lendemain matin, Marjorie vint m'expliquer que je devais me présenter au tribunal pour répondre aux questions d'un juge des affaires familiales. Elle me prévint aussi que mon oncle et ma tante risquaient de se trouver dans la salle.

– Ton oncle a été interrogé par la police, m'annonça-t-elle, et ta tante aussi.

– Est-ce qu'il leur a dit ce qu'il avait fait à ma mère ?

– Occupons-nous de ton cas d'abord, tu veux bien ?

J'avais tellement peur que je pus à peine marcher jusqu'à la voiture de Marjorie. Mais elle ne cessa de me réconforter en m'assurant que tout allait bien se passer.

– Jamais il ne portera de nouveau la main sur toi, Rebecca. Je peux te le jurer.

Lorsque nous entrâmes dans le palais de justice, j'aperçus tante Clara, assise toute seule sur un banc, au fond d'un grand couloir. La tête basse, les mains sagement posées sur les genoux, elle me parut si petite et si perdue que j'eus pitié d'elle. Quand elle nous entendit arriver à l'autre bout du corridor, elle leva les yeux vers nous. En m'approchant d'elle, je lui trouvai un visage blême et boursouflé d'avoir sans doute trop pleuré.

214

– Qu'est-ce que tu as fait, Rebecca ? demanda-t-elle d'une voix tremblante.

– Elle n'a rien fait, Mme Stack, intervint Marjorie. C'est votre époux qui a fait quelque chose de très grave.

– Il ne ferait jamais ça, gémit-elle. C'est impossible, il en est incapable.

Elle me jeta alors un regard plein d'espoir, comme s'il m'incombait de défendre son mari des accusations portées contre lui.

– Je suis désolée de vous dire ça, tante Clara, mais je suis sûre que vous l'en croyez capable, au fond de vous-même.

Elle porta alors une main à sa bouche pour bloquer les sanglots qui l'étranglaient.

Marjorie me fit un signe et je repris mon chemin dans le long couloir, non sans me retourner une dernière fois avant d'entrer dans la salle du tribunal. Les mains sur le visage, tante Clara se balançait doucement d'avant en arrière comme une personne en grande souffrance. J'eus le cœur retourné de la voir ainsi.

– Je lui fais tellement de chagrin, murmurai-je à l'adresse de Marjorie.

– Tu fais ce que tu dois faire, Rebecca. Réponds aux questions du juge et tout ira bien, tu verras.

Retenant ma respiration, je pénétrai dans la

grande salle. J'avais la sensation de me trouver tout en haut de montagnes russes devant une descente vertigineuse, dans laquelle je devais me jeter, les yeux clos, hurlant, m'accrochant à ma pauvre vie, et me demandant où j'allais atterrir.

Épilogue

Bien entendu, oncle Reuben nia tout ce dont on l'accusait. Il admit m'avoir battue mais non sans raison : c'était le seul moyen qu'il avait trouvé pour discipliner une fille aussi pourrie que moi. Le juge ne le crut pas et refusa de me replacer dans sa famille.

Ma mère ayant disparu dans la nature et me retrouvant sans aucun parent pour m'élever, je devins pupille de la nation. C'était ce qu'oncle Reuben me prédisait depuis le jour où j'avais mis les pieds chez lui, aussi estima-t-il sans doute avoir obtenu ce qu'il voulait.

Comme je m'inquiétais du sort de William et de Jennifer qui devraient continuer à vivre sous le même toit que leur père, j'en parlai à Marjorie. Elle me confia alors être certaine que William serait le premier à quitter ce régime de dictature familiale et qu'il finirait par en libérer les autres, sa mère en premier lieu.

– Quand le frère et la sœur seront en thérapie, m'expliqua-t-elle, toute l'histoire sera étalée sur la table.

J'ignorais si je devais la croire mais je dois avouer qu'à ce moment-là je me sentais davantage concernée par ce qui m'arrivait. Comprenant dans quel état de détresse je me trouvais, Marjorie décida que ce serait elle qui m'accompagnerait dans mon foyer d'accueil.

– C'est l'un des meilleurs que je connaisse dans la région, dit-elle ce matin-là dans la voiture qui nous y emmenait. Avant cela, c'était un hôtel dirigé par un couple, Gordon et Louise Tooey. Aujourd'hui ce sont eux qui ont la responsabilité du foyer. L'endroit est très agréable et très vaste, tu verras.

À l'entendre, l'établissement tenait plus d'un lieu de vacances que d'un orphelinat. Elle m'expliqua aussi qu'il y avait là-bas d'autres filles de mon âge et que l'école que j'allais fréquenter non loin était l'une des plus sérieuses de l'État.

– Et des parents qui cherchent à adopter viennent fréquemment visiter ce foyer, ajouta-t-elle.

Je ne savais pas si je désirais avoir une autre mère. Quant à mon expérience avec oncle Reuben, elle ne me donnait certainement pas l'envie de me retrouver sous la férule d'un père adoptif.

« Et puis, pourquoi chercherait-on à adopter

quelqu'un de mon âge ? » me demandai-je soudain. Si j'étais une femme désireuse d'adopter un enfant, j'essaierais d'en trouver un très jeune, que je pourrais élever à ma guise. Jamais je ne voudrais d'une fille ou d'un fils qui avait vécu une existence telle que la mienne !

Bien qu'elle devinât mon pessimisme, Marjorie continua de me décrire l'avenir brillant et heureux qui m'attendait. Elle m'assura que le pire était derrière moi et que l'État se promettait de ne jamais me remettre entre les mains d'une personne aussi cruelle et perverse que mon oncle, ou aussi instable que ma mère.

– Tu sais, on ne confie pas nos enfants à n'importe qui.

En l'écoutant, je me représentais l'État comme une gigantesque mère poule, dotée d'yeux énormes capables de tout voir et d'examiner de près le cas de chacun de ses poussins.

Mais j'étais trop fatiguée, trop déprimée pour discuter ou même me soucier de cela. Ce ne serait après tout que ma troisième école en moins de six mois ! Je rencontrerais de nouveaux visages au regard méfiant et prudent. À mes yeux, la chose la plus difficile au monde était de se faire des amis, de développer des relations d'affection et de confiance réciproques avec d'autres êtres humains. Jamais je n'avais réussi à trouver une telle amitié et je me demandais aujourd'hui si cela m'arriverait un jour...

Un peu moins d'une heure plus tard, nous atteignîmes un endroit nommé Lakewood House. Marjorie ne m'avait pas menti : l'établissement était imposant par sa taille et jamais je n'avais vu un porche aussi vaste. Elle m'aida à sortir mes bagages de la voiture et, ensemble, nous prîmes le temps de contempler les jardins alentour. Les yeux clos, elle inspira une longue bouffée d'air frais.

– C'est magnifique, n'est-ce pas ? Regarde ce lac, là-bas, ces collines, et toutes ces fleurs... Je trouve superbe que ces gens-là aient accepté de partager avec des enfants les charmes d'un endroit pareil.

Pour quelle raison effectivement avaient-ils agi ainsi ? me demandai-je.

Après avoir gravi les marches du perron, nous trouvâmes la porte d'entrée entrouverte. Une voix féminine résonna :

– J'arrive tout de suite !

Marjorie poussa le battant et, devant nous, apparut une grande femme brune aux cheveux mi-longs. Elle avait environ la cinquantaine et son regard bleu et vibrant m'inspira immédiatement confiance.

– Voici Rebecca Flores, annonça Marjorie. Rebecca, je te présente Louise Tooey.

– Bonjour, chère enfant, me dit Louise en me

tendant une main amicale. Entre, n'hésite pas. Je connais ta vie, je sais qui tu es et d'où tu viens.

Elle s'exprimait avec une voix douce et triste à la fois. Les yeux embués de larmes, elle murmura à l'adresse de Marjorie :

– Que ne fait-on pas subir à nos enfants, aujourd'hui... !

Puis elle se tourna vers moi et me sourit.

– Viens, je vais te présenter sans attendre à ta camarade de chambre. Elle s'appelle Brenda et je suis certaine que vous deviendrez très vite amies. Tu sais, nous formons une grande famille, ici, et chacun est à l'écoute de l'autre.

Je jetai un rapide regard à Marjorie qui m'adressa un clin d'œil complice. Je ne pouvais m'empêcher de rester sceptique. J'avais vécu tant de déceptions dans mon existence que les promesses, si belles soient-elles, ne m'incitaient plus guère à la confiance. Je préférais me défendre de toute illusion et, sans aucun espoir, je me préparais à n'importe quelle éventualité.

– Louise ! appela une voix en haut de l'escalier. Les toilettes sont encore bouchées. Qu'est-ce qu'il faut faire ?

Les mains sur les hanches, une grande et mince jeune fille apparut sur le palier. Elle portait un appareil dentaire et ses cheveux noirs lui recouvraient souplement les épaules.

– Et ce n'est pas moi qui étais la dernière, s'empressa-t-elle de préciser. On peut le dire à Gordon ?

– Très bien, je vais lui en parler, ne t'inquiète pas, répondit Louise.

Elle partit alors d'un rire léger.

– Elles s'affolent dès que quelque chose ne marche pas, mais Gordon répare toujours tout dans les plus brefs délais, heureusement. C'est un bricoleur-né.

Me prenant par la main, elle déclara à Marjorie :

– J'accompagne Rebecca à sa chambre puis je redescends m'entretenir avec vous dans mon bureau.

– Alors, au revoir, Rebecca, dit Marjorie en me prenant dans ses bras. Tout va très bien se passer, tu vas voir.

– Je ne sais pas, répondis-je doucement. Ça ne m'est jamais arrivé avant...

Les deux femmes échangèrent un regard embarrassé, puis Louise m'entraîna au premier étage. La jeune fille nous regarda un instant avant de faire demi-tour et de se hâter dans le corridor. Sans doute dans le but d'annoncer mon arrivée aux autres.

Nous nous arrêtâmes devant une chambre sur la gauche et Louise frappa quelques coups.

– Entrez ! fit une voix.

Louise ouvrit la porte et déclara :

– C'est moi, Brenda, avec la nouvelle compagne dont je t'ai parlé.

– Quelle chance...

Elle nous jeta alors un regard rapide pour aussitôt se replonger dans un travail qui avait tout l'air de la passionner. Assise à une petite table, elle semblait réparer un magnétophone qui gisait à demi démonté devant elle. Quand elle se décida enfin à poser les yeux sur moi, sa tête eut un mouvement d'arrêt et elle cessa aussitôt ce qu'elle était en train de faire.

– Je te présente Rebecca, lui dit Louise. Rebecca, voici Brenda. Vous avez à peu près le même âge toutes les deux, alors j'imagine que vous vous trouverez vite beaucoup de points communs.

– Ça m'étonnerait, lâcha Brenda.

– Moi aussi, ça m'étonnerait, lui renvoyai-je avec un petit sourire.

– Bon... commenta Louise d'un air embarrassé. Eh bien, Brenda te fera visiter Lakewood House et te présentera aux autres filles de l'étage. N'est-ce pas, Brenda ?

– Je n'ai pas le choix.

– Bien sûr que si, ma chérie.

– Allez, viens, me dit alors Brenda d'une voix lasse. Je vais te montrer l'Hôtel de l'Horreur.

– Brenda !

– Je plaisante, Louise. Vous le savez bien...

– Oui, je sais, reprit notre hôte. Mes pensionnaires adorent cet endroit. Bon, je descends retrouver Marjorie et je te verrai un peu plus tard, Rebecca. Installe-toi, ma petite. Tu es ici chez toi.

Elle sortit et referma la porte derrière elle.

Brenda et moi nous observâmes un long moment puis elle rompit le silence gêné qui commençait à s'installer.

– Tu as vu Gordon, ou pas encore ? demanda-t-elle.

Comme je secouai négativement la tête, elle ajouta :

– Oui, je te trouvais bien calme, en effet.

– Pourquoi ? Il est comment ?

– Il est énorme, hideux et odieux. À part ça, il est correct.

J'esquissai un sourire.

– Tu as déjà été dans d'autres foyers ? interrogea-t-elle sans se départir de son sérieux.

– Oui, juste une nuit. Avant, je vivais dans une famille.

– Une famille ? Et qu'est-ce qui t'est arrivé ?

– C'est une longue histoire... qui s'est mal terminée.

– Pas encore...

– Pardon ?

– Ce n'est pas terminé. On n'a pas encore fini d'écrire ton histoire.

Je décidai d'ignorer cette réflexion et haussai les épaules.

– Qu'est-ce que tu fais ?

– J'essaie de réparer le magnétophone de Papillon. Quelqu'un l'a laissé tomber dans l'escalier. Je crois savoir qui, d'ailleurs.

– Papillon ? m'étonnai-je.

– Oui, c'est le surnom de Janet qui partage une chambre de l'autre côté du couloir avec Crystal. Tu les verras bientôt. Range tes affaires, si tu veux. Tu as la moitié du placard et la moitié de la commode. La salle de bains se trouve au bout du corridor.

– Merci.

– Ce n'est pas moi qu'il faut remercier. C'est l'État.

Tandis que je rangeais mes affaires, elle continua tranquillement de bricoler son magnétophone. Lorsqu'on frappa à la porte, elle lança

– Sésame, ouvre-toi !

Deux filles firent alors leur apparition, l'une menue et gracieuse, l'autre armée d'une paire de lunettes aux verres épais. Elles me regardèrent avec des yeux curieux.

– On nous a dit que ta compagne de chambre était là, déclara alors la plus grande des deux.

Elle semblait particulièrement vive et intelligente, et ses yeux me scrutaient de façon si intense que j'en restai intimidée.

– Je m'appelle Crystal, ajouta-t-elle. Et voici Janet, qu'on appelle aussi Papillon.

– Bonjour, murmura Janet.

Elle ressemblait à une poupée qu'un coup de baguette magique aurait subitement animée. Pourquoi personne ne l'avait-il encore adoptée ? me demandai-je.

– Elle s'appelle Rebecca, leur annonça Brenda. Elle a eu une vie de famille épouvantable et elle semble ravie de venir vivre ici avec nous.

– Ne la déprime pas plus qu'elle ne l'est, dit Crystal sur un ton de reproche. On est très bien, ici.

– C'est vrai. On forme le groupe des Trois Orphelines.

– Les Quatre Orphelines, maintenant, corrigea Crystal.

– Si elle veut bien, reprit Brenda en me regardant.

– Est-ce que j'ai vraiment le choix, de toute façon ? leur demandai-je en riant.

Ma repartie parut les amuser et elles se mirent à rire. Puis Brenda se leva et déclara :

– Allez, on descend. C'est l'heure de la corvée.

– La corvée ?

– Le déjeuner, traduisit Crystal. Et, crois-moi, ce n'est pas si mauvais que ça.

– Je préfère en général imaginer qu'il sera infect,

me dit Brenda, comme ça j'ai toujours une agréable surprise. Allez, venez.

Je suivis Brenda et Janet dans le couloir tandis que Crystal fermait la marche.

– Tu verras, m'expliqua-t-elle, ça te paraîtra un peu difficile au début, mais tu t'y habitueras vite.

– Ça ne peut pas être pire que ce que j'ai vécu.

– C'est ce qu'on espère toutes en arrivant ici.

Elle accéléra le pas pour prendre la petite main de Janet et nous descendîmes l'escalier.

À l'extérieur, tout autour de Lakewood House, dans les maisons des familles normales, des filles de notre âge prenaient leur déjeuner, se retrouvaient entre amies ou regardaient la télévision avec leurs parents. Leurs rêves n'étaient pas si différents des nôtres.

Si l'on daignait jeter ne serait-ce qu'un coup d'œil sur nous, pouvait-on deviner que nous n'avions plus personne au monde ?

Un regard de notre part, un geste un peu maladroit, le son de notre voix trahissaient-ils notre solitude ?

Moi, je voyais tout cela chez ces trois orphelines. Je sentais la méfiance, la crainte, l'hésitation.

J'imaginais qu'en fait nous étions sœurs, nées sous une même étoile minuscule et lointaine, cernées par l'obscurité, attendant, observant, tentant désespérément de garder brillante la petite lueur qui nous servait de guide.

Combien d'occasions de sourire allions-nous avoir encore ? Combien d'occasions de rire ?

Combien de larmes allions-nous verser à côté de ces filles « normales » qui ne pleuraient jamais car elles vivaient à l'abri du malheur, avec des parents aimants ? Qu'avions-nous fait pour nous retrouver dans cet endroit ?

Arrivées au pied de l'escalier, mes trois nouvelles compagnes attendirent que je les rejoigne.

– Reste avec nous, m'ordonna Brenda. Tu es des nôtres, maintenant.

– Je crois que je l'ai toujours été, murmurai-je presque pour moi-même.

Brenda souriait.

Janet paraissait triste.

Crystal, elle, semblait songeuse.

Ensemble, nous poursuivîmes notre chemin dans le long couloir.

Nous étions quatre à nous tenir les coudes, formant un rang serré, réunissant nos forces afin de mieux lutter contre la solitude. Et de la vaincre peut-être, un jour.

Ensemble, nous allions insuffler de l'ardeur à notre précieuse petite étoile et la maintenir en vie.

Composition : P.F.C. Dole

Achevé d'imprimer par GGP Media
en avril 2001
pour le compte de France Loisirs
Paris

Dépôt légal : avril 2001
no° d'editeur : 35027

Imprimé en Allemagne